LES SEPT LOIS SPIRITUELLES DU YOGA

Du même auteur
aux Éditions J'ai lu

Le retour de Rishi, *J'ai lu 3458*
La vie sans conditions, *J'ai lu 3713*
Vivre la santé, *J'ai lu 3953*
Les sept lois spirituelles du succès *J'ai lu 4701*
Le retour de Merlin, *J'ai lu 5013*
La voie du magicien, *J'ai lu 5029*
Les clés spirituelles de la richesse, *J'ai lu 5614*
Le chemin vers l'amour, *J'ai lu 5757*
Les sept lois pour guider vos enfants, *J'ai lu 5941*
Comment connaître Dieu, *J'ai lu 6274*
Dieux de lumière, *J'ai lu 6782*

DR DEEPAK CHOPRA
DR DAVID SIMON

LES SEPT LOIS SPIRITUELLES DU YOGA

TRADUIT DE L'AMÉRICAIN
PAR YVES COLEMAN

Collection dirigée
par Ahmed Djouder

Titre original :
THE SEVEN SPIRITUAL LAWS OF YOGA
John Wiley & Sons, Inc., Hoboken, New Jersey.

À tous ceux qui cherchent l'unité
à travers le temps et l'espace.

Préface

Les quatre yogas

Lorsqu'on cherche une chose,
on en trouve souvent une autre.

Neem Karoli Baba

Le mot « yoga » vient de l'anglais *yoke* (joug). Le yoga vise à réaliser l'union du corps, du mental et de l'esprit – l'union de votre individualité avec l'intelligence divine qui orchestre l'univers. Dans cet état de l'être, les éléments et les forces de votre organisme biologique interagissent de façon harmonieuse avec les éléments du cosmos ; votre bien-être s'accroît, tant sur le plan émotionnel que psychologique et spirituel ; vos désirs se réalisent de plus en plus spontanément. Unis à l'esprit, vos attentes et celles de la nature ne font plus qu'un. Pendant que vous participez au processus de la créativité, à l'unisson avec l'être infini, vos soucis disparaissent ; votre cœur est léger, rempli de joie. Intuition, acuité, sens de la perspective ou imagination : vos capacités grandissent naturellement. Par des choix appropriés, vous engrangez un bénéfice non seulement personnel, mais toutes les personnes touchées par vos décisions en profitent. Lorsque Jésus déclare : « Car mon joug est aisé et mon fardeau léger » (Matthieu, 11, 30), sa pensée rejoint un principe central du yoga. Son intelligence est alignée sur l'intelligence cosmique. Sa volonté est en symbiose avec l'harmonie divine.

Traditionnellement, il existe quatre formes de yoga : *Gyan, Bhakti, Karma* et *Raja*. Le *Gyan yoga* est le yoga de la compréhension – et celui de la science car, après tout, la science est la connaissance des lois de la nature. Les lois de la nature sont les pensées de Dieu, et la science, à travers le système nerveux des hommes, est la façon dont Dieu explique Dieu à Dieu. La science ne s'oppose pas à l'éveil spirituel ; au contraire, elle lui vient souvent en aide. La science actuelle nous révèle notre univers mystérieux, sans localisation précise, où tout est instantanément lié à tout – où l'espace, le temps, la matière, l'énergie et l'information se fondent dans le champ d'une potentialité pure. Le champ où le potentiel incommensurable du passé, du présent et de l'avenir se dévoile et se différencie – entre le spectateur et le spectacle qui se déroule sous ses yeux, entre l'observateur et ce qu'il observe, entre celui qui apprend et la connaissance accumulée.

Les Upanishad appellent le yoga de la compréhension « le fil du rasoir ». Ils nous mettent en garde : sur le chemin, nous devons prendre nos précautions. Plus nous comprenons les lois de la nature, plus nous nous risquons à l'arrogance. Quand notre ego enfle, celui-ci éclipse l'esprit. Une quête de vérité, apparemment sincère, peut nous éloigner de la source même que nous souhaitions approcher intimement.

Les grands savants font généralement preuve d'humilité : en effet, plus ils explorent et éclaircissent les secrets de l'inconnu, plus celui-ci s'élargit et s'obscurcit. L'humilité mène à l'émerveillement, puis à l'innocence. C'est ce retour à l'innocence qui nous incite à percer le mystère lumineux de la vie, à nous livrer à lui.

Le yoga de la connaissance est un chemin merveilleux, à condition que l'individu soit suffisamment mûr pour comprendre que de nombreuses tentations risquent de le piéger si, par malheur, son intellect s'égare dans la spéculation.

Le deuxième yoga, le *Bhakti*, est le yoga de l'amour et de la dévotion. Il exprime l'amour de Dieu et plus largement, l'épanouissement de l'amour dans toutes vos relations. La lumière divine réside dans tout ce qui vit, mais aussi dans ce que nous considérons inanimé. À travers nos liens avec autrui, nous découvrons notre moi supérieur. Au cours de ce voyage, nous passons par différentes étapes : l'attirance, l'engouement, la communion, l'intimité, l'abandon, la passion et l'extase, jusqu'à ce que nous retrouvions la source de l'amour et de la vie.

Le yoga de l'amour est une route magnifique, mais différencions l'amour de l'égocentrisme, la suffisance ou l'apitoiement sur soi. Pratiquer le *Bhakti yoga*, c'est prendre soin de l'amour, penser à l'amour, exprimer de l'amour, répondre aux gestes d'amour et faire de l'amour la base de tous vos choix.

Le troisième yoga, le *Karma yoga*, vous conduit, en dernière instance, à reconnaître que toute action dépend de l'Être suprême. Lorsque vous êtes profondément convaincu que vos actions viennent de Dieu et Lui appartiennent, vous êtes un *Karma yogi*. Le dialogue intérieur d'un Karma yogi est à peu près le suivant : « Je suis un instrument de l'Être éternel. Le moindre de mes soupirs, de mes actes, est un mouvement divin de l'infini. Mes pensées et mes actions viennent de l'infini et retournent à l'infini. » Le Karma yoga authentique conduit à vous détacher de toute volonté de préjuger le résultat d'une action que vous menez. Dans cet état de conscience, agir n'est pas contraignant ; au contraire, vous vous libérez et vous vous reconnaissez en tant qu'être éternel engagé dans un voyage cosmique. Les Karma yogis n'ont pas d'angoisse parce qu'ils n'ont aucun souci. Le Karma yogi sait que Dieu accomplit l'action et s'occupe de ses retombées.

Le quatrième yoga, le *Raja yoga*, est le principal sujet de ce livre. Souvent considéré comme la « voie royale » du yoga, le *Raja yoga* permet de s'enrichir par le biais de la connaissance et de l'expérience. Avec un peu d'entraînement, tout le monde peut le pratiquer.

Avec le *Raja yoga*, vous pénétrez l'intérieur de vous-même en vue d'atteindre l'union. Ce yoga fait appel au corps et à l'esprit en vue d'accroître leur coordination. Ses techniques éveillent en vous l'assurance, la grâce, la force et favorisent une progression centrée de la conscience de soi, en dépit de l'agitation ou du chaos alentour. Elles améliorent votre santé physique et votre lucidité tout en aiguisant vos perceptions. Ces pratiques vous aideront à acquérir une nouvelle vitalité et des capacités mentales et physiques supérieures. Les Raja yogis jouissent davantage de la vie, puisque l'enthousiasme et l'inspiration illuminent leur quotidien.

Le *Raja yoga* vous aide à pratiquer les autres yogas avec davantage d'aisance et de joie. Lorsque vous vous sentez en forme, émotionnellement stable et centré sur le plan psychologique, vos désirs authentiques d'amour, de compassion et d'expression se développent. Vous vous abandonnez plus facilement à la volonté de Dieu. Vous entamez une quête de connaissances illimitées.

Certains ont l'impression que Dieu est difficile à trouver. Ne perdez pas courage. Commencez par mettre en pratique les principes exposés dans ce livre. Vous découvrirez que Dieu n'est pas inaccessible. Vous ne pouvez pas le manquer : Il est partout.

Remerciements

Ce livre est né de l'amour de nombreuses âmes chères qui partagent notre quête.

Nous souhaitons remercier les membres de notre précieuse famille, qui nous soutiennent avec amour dans toutes nos entreprises : Rita, Mallika, Sumant et Tara, Gotham et Candice ; Pam, Max, Sara et Isabel.

À Ray Chambers, Jose Busquets, Charley Paz et Howard Simon pour leur indéfectible soutien à la mission du Centre Chopra.

À toute l'équipe des éditions John Wiley & Sons, Tom Miller et Kellam Ayres qui ont permis que ce livre atteigne son potentiel maximal.

Au personnel dévoué du Centre Chopra qui veille sur chaque visiteur de notre centre de guérison et de transformation : Bill Abasolo, Vicki Abrams, Leanne Backer, Catherine Baer, Paula Bass, Brent Becvar, Sanjeer Bhanot, Marina Bigo, Sandra Blazinski, Corrine Champigny, Janice Crawford, Nancy Ede, Kana Emidy-Mazza, Jenny Ephrom, Ana Fakhri, Ana Paula Fernandez, Patrick Fischer, Roger Gabriel, Lorri Gifford, David Greenspan, Emily Hobgood, Gwyneth Hudson, Jennifer Johnson, Alisha Kaufman, Kenneth Kolonko, Totiana Lamberti, Joseph Lancaster, Justine Lawrence, Anastacia Leigh, Summer Lewis, Asha Maclsaae, Tufani Mayfield, Joelene Monestier, Bjorn Nagle, Kelly Peters-Luvera, Jessica Przygocki, Carolyn Rangel, Felicia Rangel, Kristy Reeves, Sharon Reif, Anna Rios, Jayme Rios, Teresa Robles, Julian Romero, Nicolas Ruiz, Stephanie Sanders, JoElla

Shephard, Max Simon, Drew Tabatchnick, William Vargas, Katherine Weber, Dana Willoughby, Grace Wilson et Kelly Worrall.

À Claire Diab, pour son merveilleux travail de supervision du programme de formation des professeurs selon les Sept Lois Spirituelles du Yoga.

À Omry Reznick, Claire Diab, Michael Fukumura, Roger Gabriel et Pam Simon qui ont pris en charge les photos de cet ouvrage, et nous ont ainsi épargné bien des explications.

À Geeta Singh qui nous aide à transmettre le message dans le monde entier.

À Lynn Franklin pour avoir permis à ce livre de toucher des personnes qui cherchent l'unité aux quatre coins du monde.

Introduction

La Réalité est la source d'où s'élèvent le monde
et l'esprit et dans laquelle ils s'établissent ;
elle ne s'élève ni ne s'affaisse.

Ramana Maharishi

« Je ne suis pas dans le monde, le monde est en moi. » Cette pensée audacieuse, transmise par de très anciens yogis, résume une vérité éternelle : l'univers matériel, nos corps et les pensées qui nous occupent expriment un champ de conscience sous-jacent et illimité. Le « Je » de cette phrase révèle une transformation chez celui qui cherche la vérité ; en effet, il passe d'un ego qui le hante à un esprit en extension. Ces explorateurs originaux de la conscience ont tracé un chemin que nous devons suivre – la voie du yoga. Telle est la route que nous parcourons.

En Occident, la philosophie et les pratiques dites « orientales » sont de mieux en mieux acceptées – nous ne pouvons que nous en réjouir. À travers nos livres, nos conférences, nos ateliers et nos stages, nous partageons notre compréhension et notre expérience des traditions spirituelles védiques et yogiques. Cette connaissance accumulée a une vocation universelle. De même que personne ne prétend aujourd'hui que la loi de la gravité concerne uniquement la Grande-Bretagne parce que Isaac Newton était anglais, ou que nul n'ose affirmer que la théorie de la relativité d'Einstein ne s'applique qu'en

Allemagne, les intuitions profondes acquises grâce au yoga touchent chaque habitant de cette planète, quel que soit son âge, son genre ou son héritage culturel. Ni le temps ni l'espace ne limitent les principes du yoga.

Les êtres humains comprennnent de plus en plus qu'ils appartiennent au « village global » ; des idées unanimement rejetées il y a trente ans, hormis par quelques intrépides explorateurs de l'espace intérieur, ont aujourd'hui de l'impact dans la conscience collective. À quelques décennies de nous (quelques battements de cœur à l'échelle de l'histoire de l'humanité), lorsqu'une personne vantait les mérites du yoga et de la méditation pour parvenir à un mode de vie plus sain, elle provoquait des réactions sceptiques, voire sarcastiques. Mais les concepts qui enrichissent véritablement la vie finissent par pénétrer la conscience des hommes. Pour paraphraser le philosophe allemand Schopenhauer, toute grande idée passe par trois phases avant d'être acceptée. D'abord, elle est rejetée ; ensuite, elle est tournée en ridicule, et enfin, tout le monde la considère comme évidente. Aux États-Unis comme dans le monde entier, l'apport du yoga au corps, au mental et à l'esprit apparaît de plus en plus évident à la masse critique.

Notre relation avec le yoga se développe depuis plus de trente ans. Au début de notre voyage spirituel, nous avons appris combien il était important d'alterner les *āsanas* (postures de yoga), le *prānāyama* (exercices de respiration) et la méditation pour stabiliser la conscience tout en passant de longs moments dans le silence. Durant les stages de méditation intensive que nous animons deux fois par an au Centre Chopra, nous constatons combien la concentration sur l'intérieur de soi, pratiquée plusieurs heures, quotidienement, permet à nos invités de s'épanouir consciemment. Ce livre est le fruit de notre expérience personnelle et de celle de milliers de participants à ce stage.

Les informations et les exercices présentés dans cet ouvrage vous offrent la possibilité d'élargir votre compréhension de la relation entre votre existence individuelle et votre environnement social et naturel. Notre planète a besoin d'être soignée et transformée. La croissance démographique explose, et les conséquences de l'action humaine menacent la terre, chaque jour un peu plus. Ceux qui perçoivent la relation entre choix individuels et choix collectifs ne peuvent ignorer des questions comme la justice sociale, les disparités économiques, les dysfonctionnements écologiques et les conflits culturels. Parfois, les défis de notre époque semblent nous dépasser et se trouver hors de portée de nos intentions individuelles. Mais chacun peut contribuer à la construction d'un monde meilleur à travers des choix à la fois quotidiens et très personnels. En découvrant le programme axé sur les Sept Lois Spirituelles du Yoga, vous unirez davantage votre corps et votre esprit ; vous apprendrez à maintenir votre équilibre et votre souplesse en toutes circonstances. Vous puiserez de plus en plus dans votre créativité et votre intuition, et saisirez combien la façon dont vos pensées, vos propos et vos actions individuels influencent votre environnement et réciproquement. Grâce à cette découverte personnelle, vous participerez au réveil collectif de la conscience humaine.

Tout notre travail, dans le cadre du Centre Chopra, est basé sur un principe fondamental : la conscience est la force essentielle de l'univers. Elle engendre la pensée qui donne naissance à l'action. Tout changement commence par une prise de conscience – de la situation actuelle, de la possibilité de quelque chose de plus grand, du potentiel illimité de la créativité, présente en chacun de nous, et qui peut nous permettre de catalyser la transformation que nous souhaitons pour nous-mêmes et les générations à venir.

Il y a vingt ans, il semblait impossible de restreindre le tabagisme dans les lieux publics et d'obliger les fabricants de tabac à financer des campagnes publiques d'information incitant les consommateurs à ne pas fumer. Pourtant, un changement s'est produit dans la conscience collective ; une masse critique d'hommes et de femmes a décidé de ne plus tolérer le comportement d'une minorité si néfaste pour la majorité. De même, plus l'attitude personnelle des êtres humains changera, plus elle passera de la question « Que puis-je y gagner ? » à « Comment puis-je aider ? », mieux nous assumerons nos responsabilités, individuelles et collectives, concernant les choix qui déterminent l'avenir de notre planète. Les changements intérieurs suscités par la pratique des Sept Lois Spirituelles du Yoga vous pousseront à travailler pour la guérison et la transformation de l'humanité et du monde – du moins l'espérons-nous.

Les stages que nous avons organisé autour des Sept Lois Spirituelles du Yoga ont suscité un tel enthousiasme que nous avons mis au point un programme d'exercices pour ceux qui souhaitent transmettre ces connaissances et ces pratiques dans leur milieu, leur quartier ou leur région. Qu'il s'agisse de novices ou de professeurs de yoga expérimentés, des hommes et des femmes de tous les pays apprennent à enseigner à d'autres comment appliquer, au jour le jour, la profonde sagesse du yoga. Si, après avoir vous-même accédé au pouvoir de transformation de ce programme, vous souhaitez partager vos nouvelles connaissances avec d'autres personnes, nous accueillerons avec plaisir votre aide à notre effort collectif. Ensemble, nous rappellerons à tous les membres de notre famille universelle que chacun peut œuvrer, par ses qualités intérieures, en faveur de la paix et de l'harmonie dans ce monde.

Avec tout notre amour,
Deepak et David

PREMIERE PARTIE

La philosophie du yoga

1

Le yoga mène à l'union

Sans connaissance intime de soi, il est impossible de dépasser les limites de notre mental.

Jiddu Krishnamurti

La multiplication des cours et des centres de yoga en Occident renforce sa capacité indiscutable d'accroître le bien-être physique de l'humanité. En Amérique du Nord, en Europe et en Australie, les ateliers de yoga offrent une vaste gamme d'écoles et de techniques destinées à améliorer votre santé physique. Les postures du yoga augmentent votre souplesse, fortifient vos muscles, améliorent votre port et facilitent votre circulation. Les programmes des athlètes, qu'ils soient gymnastes ou footballeurs, incluent maintenant le yoga car celui-ci permet d'étirer les muscles, les tendons et les articulations. Souvent, les passionnés du fitness sont plaisamment surpris lorsqu'ils découvrent avec quelle rapidité l'inclusion de quelques exercices de yoga dans un programme d'entraînement régulier peut améliorer leur tonicité et leurs postures.

Même si la pratique du yoga n'apportait que de simples bienfaits physiques, elle mériterait déjà de faire partie de notre vie. Cependant, le yoga n'est pas qu'une simple méthode pour garder la forme. C'est une véritable science pour mener une vie équilibrée, un moyen d'exploiter tout le potentiel humain. En cette époque tourmentée, le yoga fournit un point d'ancrage, une porte d'accès à un espace plus serein. Il permet, à ceux qui vivent dans un monde dominé par la technologie, de rester connectés à leur humanité naturelle. Il offre la possibilité de rester toujours centré, même au milieu des turbulences.

Le yoga fait appel à toutes les dimensions de la vie, qu'elles soient environnementales, physiques, émotionnelles, psychologiques ou spirituelles. Ce mot vient du sanskrit *yuj,* qui signifie « unifier » et entretient un lien, comme nous l'avons vu, avec l'anglais *yoke* (le joug). Lorsqu'un paysan met un joug au cou de ses bœufs pour tirer sa charrue, il accomplit une action touchant à l'essence de la pratique spirituelle. Fondamentalement, le yoga signifie union, union du corps, du mental et de l'âme ; union de l'ego et de l'esprit : union du temporel et du divin.

Les Sept Lois Spirituelles en action

Le programme des Sept Lois Spirituelles du Yoga augmentera votre vitalité, libérera votre cœur de ses blocages psychologiques et éveillera votre joie et votre enthousiasme. Depuis sa parution en 1994, le livre de Deepak Chopra *Les Sept Lois Spirituelles du succès* (paru aux Éditions J'ai lu), a enthousiasmé des millions de lecteurs dans le monde. À travers sept principes simples, *Les Sept Lois Spirituelles du succès* proclament que l'harmonie, le bonheur et l'abondance sont à la portée de tous ceux qui souhaitent adopter une approche de la vie fondée sur la conscience. Pour mettre en œuvre les Sept Lois, notre programme s'appuie sur une série de recommandations et d'exercices.

Nous nous réjouissons que le yoga soit de plus en plus populaire dans le monde occidental. Même si votre motivation initiale pour suivre un cours de yoga se résume à perdre du poids ou à muscler votre corps, vous ne pourrez échapper à ses effets bénéfiques plus subtils, comme l'accroissement de votre vitalité et la diminution sensible de votre stress. Le yoga éveille le potentiel humain. Il n'est pas nécessaire de croire à un ensemble de principes précis pour commencer à en récolter les fruits. Au contraire, la pratique régulière du yoga engendre spontanément un mode de pensée sain et fondé sur votre expérience directe du monde. Si vous pratiquez le yoga régulièrement, à travers un système nerveux plus souple, votre mental et vos émotions changeront rapidement.

Le yoga est un élément central de la philosophie indienne : la science védique. Nés dans la civilisation de la vallée de l'Indus il y a cinq mille ans, les Veda rassemblent les connaissances poétiques des sages éclairés sur les origines de l'univers et l'évolution de la vie. L'anglais *wisdom* vient de *wid*, très ancien mot germanique qui signifie « connaître ». *Wid*, à son tour, provient du sanskrit *Veda*, la « connaissance externe ». Les Veda sont donc l'expression d'une sagesse éternelle, et le yoga n'est rien d'autre que l'aspect pratique de la science védique. Il permet aux êtres humains d'accéder directement à la sagesse. Ceux qui pratiquent le yoga – les yogis – forment une force dynamique et créatrice, pourvoyeuse de changements positifs. Ils savent que leur mental et leur corps vivent dans un monde en perpétuel changement, mais que leur essence – leur âme – réside dans une dimension résistant au changement.

Le programme des Sept Lois Spirituelles du Yoga est conçu pour ceux qui souhaitent approfondir leur pratique du yoga, en utilisant leur corps pour accéder à des niveaux spirituels supérieurs. Le yoga a toujours cultivé un état intérieur, une conscience du soi que l'inévitable agitation de la vie ne peut perturber.

Les enveloppes de vie

Les êtres humains sont complexes. Ils ont de multiples facettes ; de nombreuses couches, très riches, les composent, même si le modèle scientifique occidental relève encore de la conception mécaniste exposée par Newton. Celui-ci considérait les hommes comme des entités avant tout physiques, des machines biologiques qui ont appris à penser. Il y a déjà près d'un siècle, les découvertes de la physique quantique nous ont révélé que le modèle matériel de la vie était incomplet. Néanmoins, la médecine et la physiologie modernes considèrent encore les êtres humains comme un simple assemblage de molécules.

Selon cette conception, si vous êtes déprimé, ce n'est pas parce que vous ruminez de la colère et du ressentiment à cause d'une aventure entre votre épouse et votre meilleur ami ; non, cela provient d'un niveau inadéquat de sérotonine dans votre cerveau. Il suffit donc d'augmenter le niveau de cette molécule neurotransmettrice grâce à un inhibiteur approprié (l'inhibiteur de recapture de sérotonine, ou IRS), et votre dépression disparaîtra. Si votre tension est élevée, ce n'est pas parce que votre patron vous harcèle, mais parce que votre angiotensine est trop élevée. Prenez donc un inhibiteur comme l'ACE et votre tension se régularisera. Si vous êtes insomniaque, votre découvert à la banque n'y est pour rien : il suffit de corriger la concentration insuffisante d'acide gamma-amino-butyrique (GABA) dans votre cerveau. Plusieurs médicaments sont susceptibles de corriger cette déficience et vous dormirez comme un bébé.

Une telle approche matérialiste est remarquablement efficace si l'on souhaite uniquement traiter ce type de symptômes à court terme. Malheureusement, cette démarche conduit rarement à une compréhension plus profonde de la vie, à la guérison et à la transformation ; sans compter sur les effets secondaires parfois inquiétants de ces médicaments.

Puisqu'il élève la vision de la vie au-delà d'une perspective purement biochimique, le yoga nous rappelle que notre existence se déroule simultanément sur plusieurs plans. Il cherche à découvrir l'unité dans notre multidimensionalité. À travers les siècles, de grands maîtres ont attiré l'attention de leurs contemporains sur un paradoxe fascinant : même si pour notre mental et nos sens le monde apparaît comme une réalité perpétuellement changeante, dans le cadre d'une perspective spirituelle la diversité infinie des formes et des phénomènes masque une réalité sous-jacente immuable.

Adi Shankara – le sage des sages

Adi Shankara, sage du IXe siècle, a été l'un des professeurs les plus influents de la philosophie du yoga et des Veda. Il a complètement renouvelé la science védique, notamment en analysant les couches de vie qui masquent notre essence, le moi spirituel. On raconte que Shankara, né en 805 après Jésus-Christ, maîtrisait parfaitement le sanskrit à l'âge d'un an et toute la littérature sacrée à huit ans. Il commença à écrire ses propres commentaires sur les Veda à quinze ans et fut reconnu comme le plus grand maître du yoga cinq ans plus tard. Il créa des écoles de spiritualité dans toute l'Inde en vue d'atteindre un objectif précis : aider les êtres humains à vaincre leur souffrance à travers la sagesse et grâce à l'*Advaita*, ou « non-dualisme ». L'enseignement de Shankara se résume à une découverte essentielle : il existe un champ d'intelligence sous-jacent qui s'incarne dans la multiplicité des formes et des phénomènes que nous appelons l'univers physique.

Nous devons reconnaître les déguisements qu'emprunte la conscience afin de les percer à jour et d'identifier la réalité qui s'y dissimule. L'esprit a engagé avec nous une vaste partie de cache-cache. Le champ, non localisé, de la conscience donne naissance au monde sensoriel qui éclipse notre expérience de l'unité sous-jacente. À un certain moment de notre évolution spirituelle, nous comprenons que le monde des sensations ne peut, à lui seul, nous apporter une paix ou un bonheur authentiques. Nous commençons alors à retirer les différentes couches qui masquent notre nature essentielle, illimitée. Shankara les appelle des *koshas*, des « enveloppes », qu'il divise en trois éléments fondamentaux : un corps physique, un corps subtil et un corps causal. Aujourd'hui, nous dirions le corps, le mental et l'âme. Explorons chacune de ces divisions fondamentales et leurs trois couches (enveloppes) secondaires.

Les enveloppes de la vie

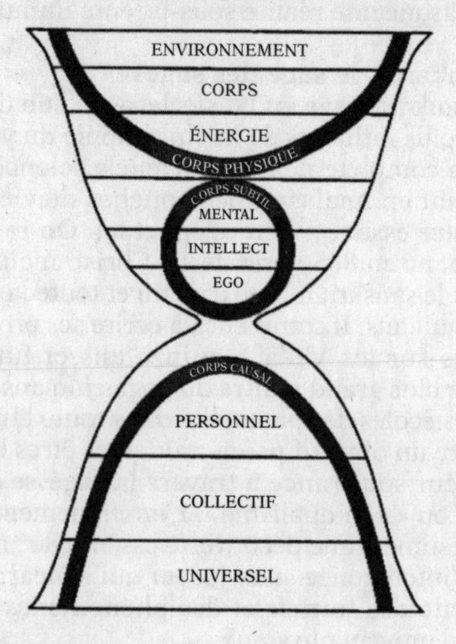

Le corps physique : le champ des molécules

À l'intérieur de votre univers physique, vous avez un corps élargi, un corps personnel et un corps énergétique. Le corps élargi est constitué par votre environnement, qui contient une quantité illimitée d'énergie et d'informations à votre disposition. Chaque son, chaque sensation, chaque image, chaque goût et chaque arôme fournis par votre environnement influencent votre corps et votre mental. Bien que vos sens puissent vous envoyer une autre information, il n'existe pas de frontière précise entre votre corps personnel et votre corps élargi : tous deux sont engagés dans un échange constant et dynamique. Chaque inspiration, ou expiration, vous rappelle la conversation permanente entre votre corps physique et votre environnement.

La compréhension de cette réalité vous incite automatiquement à devenir responsable de votre environnement. Un yogi pense comme un véritable écologiste parce qu'il reconnaît le lien intime entre les fleuves qui coulent à travers les vallées et ceux qui coulent dans ses veines. La respiration d'une forêt très ancienne et votre dernière inspiration sont inextricablement entremêlées. La qualité du sol dans lequel poussent vos futurs aliments est directement liée à la santé de vos tissus et de vos organes. Votre environnement est votre corps élargi. Vous êtes imbriqué dans votre écosystème.

Bien sûr, vous disposez d'un corps personnel composé de molécules qui habitent temporairement vos cellules, vos tissus et vos organes : « temporairement », parce que votre corps se transforme en permanence, même s'il vous semble solide et constant. Les études scientifiques qui utilisent des traces radio-isotopiques montrent de façon convaincante que 98 pour cent des 10^{28} d'atomes présents dans votre corps sont remplacés chaque année. La paroi de votre estomac se recrée environ tous les cinq jours, votre peau se renouvelle chaque mois, et les cellules de votre foie changent toutes les six semaines. Bien que votre corps semble fixe et stable, il se métamorphose sans arrêt.

La grande majorité de vos cellules proviennent de votre nourriture. C'est pourquoi Shankara appelle le corps physique « l'enveloppe faite de nourriture », *annamaya kosha*. Pour créer et entretenir un corps sain, les yogis surveillent soigneusement leur alimentation ; ils réduisent au maximum la toxicité, et augmentent le plus possible les bienfaits de ce qu'ils mangent. Certains aliments (les *sattvic*) sont particulièrement favorables au mode de vie d'un yogi car ils contribuent à la pureté du corps. Les yogis vénèrent quatre aliments *sattvic* : les amandes, le miel, le lait et le beurre clarifié ou *ghee*. L'absorption quotidienne de ces aliments bénéficie au corps, au mental et à l'âme d'une personne qui souhaite améliorer l'intégration corps-esprit. Dès que vous comprendrez la relation entre votre corps personnel et votre corps élargi, vous aurez à cœur de consommer uniquement des produits laitiers biologiques.

Troisième enveloppe du corps physique, selon Shankara : le *prānamaya kosha*, ou « enveloppe d'énergie vitale ». Les cellules d'un cadavre diffèrent de celles d'un être vivant. Le principe organisateur qui insuffle la vie dans les éléments biochimiques s'appelle le *prāna*. Le corps compte cinq sources de *prāna* : la tête, la gorge, le cœur, l'estomac et le pelvis. Ces centres du mouvement régissent la circulation de la force vitale dans le corps. Lorsque le prāna se déplace librement à travers cellules et tissus, vitalité et créativité s'épanouissent. Les exercices de respiration (les techniques de *prānāyama)* sont conçus pour éveiller et purifier votre enveloppe d'énergie vitale. Nous explorerons ces puissantes approches dans le quatrième chapitre.

Le corps subtil : le champ du mental

Certaines personnes s'identifient à leur mental, leur intellect et leur ego, éléments du corps subtil. René Descartes, le philosophe français du XVIIe siècle, a écrit : « Je pense donc je suis. » Certains continuent à croire que leur être se résume à leur mental, mais Shankara nous encourage à reconnaître que les éléments de notre corps subtil ne constituent que de simples enveloppes de notre âme.

Selon ce schéma, le mental stocke nos impressions sensorielles. Lorsque vous entendez un son, éprouvez une sensation, voyez un objet ou une personne, goûtez un aliment ou sentez un parfum, l'expérience sensorielle se grave dans votre conscience à un niveau donné de votre être : le *manomaya kosha*. Le mental traverse différents états de conscience et vos expériences sensorielles se modifient en conséquence. Les impressions qui pénètrent votre conscience durant un état d'éveil diffèrent de celles que vous découvrez pendant vos rêves. Le yoga nous rappelle que la réalité varie selon les états de conscience – selon les filtres de l'enveloppe de l'esprit.

Deuxième enveloppe du corps subtil : l'intellect ou *buddhimaya kosha*, la dimension de l'esprit qui choisit. Lorsque vous vous interrogez à propos de l'achat d'un dentifrice, de votre attirance pour un partenaire ou de l'acquisition d'une maison, votre intellect travaille. Il pèse les avantages et les inconvénients de chaque décision. Cette enveloppe rassemble les informations fondées sur vos croyances et vos sentiments afin d'arriver à une décision. Selon le yoga, l'objectif ultime de cette enveloppe intellectuelle est de distinguer le réel de l'irréel. Le réel est ce qui ne peut être perdu, alors que l'irréel désigne tout ce qui commence et finit. Maîtriser cette différence est essentiel pour le yoga.

Troisième enveloppe du corps subtil : l'ego, ou *ahankāra*, « ce-qui-forme-le-Je ». Selon Shankara, l'ego est l'aspect de votre être qui s'identifie à une position sociale et à des biens matériels. C'est en dernière analyse l'image de soi – la façon dont on veut projeter celui (ou celle) que l'on est, vers soi et vers le monde.

L'ego fabrique des frontières et revendique son sens de la propriété à travers des concepts comme « Je », « moi », « mon » et « le mien ». Il cherche la sécurité à travers le contrôle. Souvent, son besoin d'approbation est profondément enraciné. La plupart des douleurs émotionnelles proviennent du fait que l'ego a été blessé parce qu'un élément qu'il croyait contrôler se trouve, en fait, en dehors de sa juridiction.

Il est facile de se perdre dans le corps subtil car celui-ci s'attache aux rôles, aux relations et aux objets, mais Shankara nous encourage à aller plus loin. Se détacher du corps et du mental ouvre la possibilité de découvrir un aspect de votre être situé au-delà de vos limites habituelles. C'est le champ de l'esprit que Shankara appelle le corps causal.

Le corps causal ou le champ de la potentialité pure

Selon le yoga, sous le champ de molécules (le corps physique) et sous le champ de pensées (le corps subtil), se trouve une autre dimension de la vie : le corps causal ou champ de l'esprit. Même si nous ne pouvons ni percevoir ni mesurer cette sphère de la vie, elle engendre nos pensées, nos sentiments, nos rêves, nos désirs et nos souvenirs, ainsi que les molécules qui constituent nos corps et le monde matériel. Tout comme le corps physique et le corps subtil, le corps causal a trois enveloppes.

Le domaine personnel de l'esprit constitue l'enveloppe où reposent les graines des souvenirs et des désirs. Selon Shankara, chaque personne arrive sur cette planète avec un objectif spécifique et un ensemble unique de talents. Placées dans un environnement adéquat, les graines poussent et vous devenez capable d'exprimer vos talents dans le monde. Bien que le modèle de vie matérialiste actuel suggère que les talents des êtres humains sont déterminés par leurs gènes, il suffit d'observer deux « vrais » jumeaux pour constater que la structure moléculaire ne détermine absolument pas la nature d'un individu. Les femmes enceintes peuvent témoigner que, même dans l'utérus, des bébés différents expriment des tendances différentes.

Selon Shankara, chaque individu possède une âme personnelle faite de souvenirs et de désirs uniques guidant le cours de votre vie. Lorsque vous nourrissez les graines de vos dons innés avec attention et bonne intention, celles-ci poussent, et votre âme personnelle éprouve un sentiment de complétude et d'accomplissement.

Deuxième envelope du corps causal : le champ collectif. Cette dimension vous pousse à vivre une existence aux proportions mythologiques. Les dieux et les déesses qui résident dans le champ collectif, à l'intérieur de votre âme, cherchent, par votre biais, à exprimer leur pouvoir créateur. Chacun de nous entreprend un voyage héroïque en quête du Saint-Graal. Obstacles et défis se dressent le long du chemin, et nous forcent ainsi à plonger plus profondément dans notre être.

Ces aspirations collectives se traduisent dans des histoires archétypales que les hommes et les femmes se racontent depuis des millénaires. Par exemple, nous découvrons les risques associés à l'arrogance du pouvoir à travers la tragique histoire d'Icare. Ignorant l'opinion de son père, Icare vola trop près du soleil et ses ailes de cire fondirent. Il s'écrasa dans l'océan. Si le président Bill Clinton ou la femme d'affaires Martha Stewart avaient écouté la sagesse qui résonne dans leur champ collectif, ils auraient évité un avenir pénible, et pourtant prévisible.

Une femme qui clôt une relation dès que celle-ci devient trop intime revit le mythe de Daphné qui, harcelée par Apollon, se transforma en laurier. Un jeune homme qui cherche à redresser une entreprise familiale autrefois performante rejoue l'aventure de Jason et des Argonautes. Les histoires développées dans notre vie et celle de nos congénères sont éternelles.

À l'intérieur de notre champ collectif, les dieux et déesses mythologiques sont bien vivants. La reine Junon revit dans les femmes de pouvoir modernes – Margaret Thatcher, Golda Meir, Hillary Clinton. Diane, la déesse de la nature, s'incarne dans des personnages d'aujourd'hui, comme la primatologue Jane Goodall (spécialiste des chimpanzés) ou la militante écologiste Julia « Butterfly » Hill de l'association Earth First. Venus est apparue très directement sous les traits de l'actrice Marilyn Monroe, tandis que Dionysos, dieu de l'intoxication et de l'excès, se personnifie généralement chez ceux qui ont eu besoin, un jour ou l'autre, d'un séjour en clinique de désintoxication.

Vous êtes une histoire vivante. À travers votre vie, devenez conscient des histoires que vous racontez au monde et à vous-mêmes. Participez consciemment à l'écriture du prochain chapitre de votre existence. Le yoga nous encourage à élargir le sentiment de soi et à embrasser le champ collectif de notre âme. C'est dans ce champ collectif que les aspirations les plus profondes de l'humanité s'accomplissent à travers les histoires éternelles que notre vie et celle de nos enfants reprennent à leur compte.

Selon Shankara, l'aspect le plus profond de notre être dépasse certaines dimensions comme le temps, l'espace et la causalité, et donne cependant naissance à l'univers manifesté. C'est le domaine *universel* de l'esprit dans lequel toutes les différences fusionnent dans l'unité. N'ayant pas de qualités propres, ce champ de potentialité pure se manifeste par le monde infiniment divers des formes et des phénomènes. L'océan illimité de l'être se cache sous les enveloppes des corps causal, subtil et physique.

Ce champ sans localisation, illimité, est la source et l'objectif de la vie. Le yoga nous incite à nous concentrer sur ce champ universel afin que nous nous imprégnions du silence, du calme et de la créativité qu'il permet. Ensuite, quoique engagés dans une activité, nous garderons en nous le silence et la conscience centrée de l'esprit universel.

La vision exposée par Shankara est tout aussi utile aujourd'hui qu'il y a des siècles. À ceux qui veulent atteindre un bien-être, une vitalité et une sagesse supérieurs, Shankara offre une voie qui nous conduit jusqu'à l'âme.

Le programme des Sept Lois Spirituelles du Yoga fournit les moyens de mener à bien ce voyage. Que vous soyez un débutant ou que vous pratiquiez le yoga depuis quelque temps, ce programme vise à modifier votre conscience. Comme l'a dit Marcel Proust, « Voyager ce n'est pas chercher de nouveaux paysages, mais voir avec de nouveaux yeux. » Nous souhaitons que le programme des Sept Lois Spirituelles du Yoga vous permette de considérer votre environnement, votre corps, votre mental et vos émotions à partir d'une perspective nouvelle.

Ce changement subtil dans la conscience peut être une puissante force catalytique de guérison et de transformation. Essayez ce programme pendant un mois, et vous constaterez des changements, non seulement dans la pratique de vos postures mais aussi dans votre vie en général.

2

Les questions de l'âme

Rien n'est profane, ici-bas, à qui sait voir.
Tout est sacré, au contraire.

Pierre Teilhard de Chardin

On s'accorde à penser que le fondateur de la philosophie yogique serait un sage légendaire, Maharishi Patañjali, dont les détails biographiques se perdent dans les brouillards du mythe et de l'histoire. Selon une version, sa mère, Gonnika, pria le Seigneur Vishnu, le dieu qui régit l'univers, de lui donner un enfant. Vishnu fut tellement ému par sa pureté et sa dévotion qu'il demanda à son serpent cosmique bien-aimé, Ananta, de le préparer à la réincarnation humaine. Un minuscule morceau du corps céleste d'Ananta tomba dans les mains de Gonnika alors qu'elle priait, les paumes tournées vers le ciel. Elle nourrit de son amour cette graine cosmique jusqu'à ce que celle-ci se transforme en un bébé qu'elle appela Patañjali, combinaison entre *pat*, « descendu du ciel », et *añjali*, terme désignant sa posture de prière. Selon les historiens, cet être aurait vécu deux siècles avant la naissance du Christ et inventé les principes du yoga pour le bien de l'humanité.

Dans son ouvrage classique, les *Yoga Sūtras*, Patañjali n'hésite pas à fixer un objectif ambitieux au yoga : libérer totalement l'humanité de la souffrance. Pour accomplir ce noble projet, Patañjali a créé les huit branches du yoga. Chacune de ces composantes vous aide à passer d'une conscience restreinte à une conscience élargie, d'une conscience localisée à une conscience non localisée. Votre point de référence interne se déplace alors spontanément de l'ego à l'esprit, ce qui vous ouvre une perspective beaucoup plus large pour affronter n'importe quel défi.

Selon Patañjali, chaque fois que nous nous identifions à notre ego, nous devenons prisonniers de ce qui n'a pas de réalité permanente. Nous nous attachons à une relation, un travail, un corps, ou un bien. Ou à une croyance ou une idée sur la façon dont les choses devraient être. Quel que soit l'objet de notre attachement, le fait que nous lions notre identité au monde des formes et des phénomènes provoque détresse, malheur et maladie. Votre moi authentique n'est pas prisonnier d'un corps pendant une seule vie : cette découverte constitue la clé d'une liberté et d'une joie véritables. Le yoga donne un aperçu de notre moi essentiel, en faisant passer du silence à l'action, puis de l'action à l'immobilité. Les exercices des Sept Lois Spirituelles du Yoga vous feront découvrir l'éventail des possibilités du yoga – discipline qui alterne moments de silence, d'immobilité, puis d'activité.

La philosophie du yoga commence par l'esprit. Son objectif essentiel est que vous entriez en contact avec l'esprit. Pour ce faire, votre mental doit, évidemment, se calmer afin que vous accédiez à la sagesse intérieure, nichée au plus profond de votre être. Pour vous connecter à votre âme, il existe plusieurs méthodes : vous pouvez par exemple vous poser des questions qui vont au cœur de l'expérience humaine. Trois interrogations fondamentales vous aident à déplacer votre point de référence intérieur de l'ego à l'esprit :

Qui suis-je ?
Qu'est-ce que je veux ?
Comment puis-je servir ?

Que vous en soyez conscient ou non, ces questions déterminent vos choix. Si vous repensez régulièrement à vos réponses, vous serez plus attentif aux occasions qui résonnent avec les besoins de votre âme.

Lorsqu'on leur demande « Qui êtes-vous ? », la plupart des êtres humains s'identifient habituellement à une position (sociale) et aux biens qu'ils possèdent. Ils répondent : « Je suis le directeur financier d'une société informatique », ou bien « Je suis professeur de mathématiques dans un lycée. » Ou encore ils s'identifient avec l'endroit ou le pays où ils vivent : « Je suis New-Yorkais » ou « Je suis Canadien. » Autre possibilité : ils s'identifient à leur relation avec les autres – « Je suis l'assistante du président », « Je suis une mère de famille. » Bien que nous ayons tous tendance à nous identifier à des rôles, des objets et des relations, le yoga nous encourage à pénétrer plus profondément notre être ainsi qu'à trouver un lieu radicalement différent de nos points d'ancrage extérieurs. Là réside la source de toute énergie et de toute créativité. Reconnaissez que votre nature essentielle n'est prisonnière d'aucun lien, qu'elle est éternelle, et votre vie deviendra joyeuse, pleine de sens et insouciante.

Essayez un exercice simple : cherchez à déterminer votre point de référence intérieur actuel. Fermez les yeux, inspirez et expirez profondément et lentement, à plusieurs reprises, et installez votre conscience dans la zone de votre cœur. Demandez-vous ensuite en silence : « Qui suis-je ? » toutes les quinze secondes. Écoutez avec innocence les réponses qui surgiront du fond de votre esprit.

Cet exercice peut vous aider à comprendre que vous vous définissez à partir des rôles que vous jouez. Si l'on vous demande : « Qui êtes-vous ? » vous répondez généralement :

Je suis
programmeur en informatique
vice-président du marketing
infirmière dans service pédiatrique

Vous vous définissez à partir d'un groupe :

Je suis
un Américain
un fan de l'équipe des Yankees de New York
un libertaire

Vous mettez en avant votre relation à autrui :

Je suis
un parent célibataire
une épouse aimante
une fille dévouée

Vous évoquez vos activités, vos goûts :

Je suis
végétarien
triathlète
adepte de la méditation

Dans la perspective du yoga, chacune de ces sources d'identité représente un aspect de votre personnalité, mais certainement pas votre essence fondamentale. En vous posant la deuxième question de l'âme (« Qu'est-ce que je veux ? ») vous pouvez progresser davantage. Dans les Upanishad, l'un des joyaux de la littérature védique, il est écrit : « Vous êtes ce qu'est votre désir profond, motivant. Votre désir fait naître la volonté, la volonté suscite l'action, et l'action détermine votre destin. » Lorsque vous savez ce qu'une personne désire, vous connaissez sa nature profonde. Pour devenir plus conscient de vos désirs profonds, fermez les yeux et demandez-vous, toutes les quinze secondes :

Qu'est-ce que je veux ?
Qu'est-ce que je veux vraiment ?

Différents niveaux de votre être engendrent des désirs différents. Votre corps physique souhaite satisfaire des besoins élémentaires : nourriture, eau, oxygène et plaisir sexuel. Écouter les désirs de votre corps et les satisfaire vous apporte santé et vitalité. Votre corps subtil, lui, a d'autres besoins : relations humaines, réalisations et reconnaissance émotionnelles. Exprimer vos talents et honorer les contributions d'autrui assurent la santé et le bien-être de votre corps subtil. Votre corps causal, enfin, a soif d'expression et de renouveau créateurs. Il a besoin que l'unité l'emporte sur la diversité, que l'élargissement prévale sur la limitation.

Un voyage spirituel comble les besoins de la chair, du mental et de l'esprit. La question « Qu'est-ce que je veux vraiment ? » vous aide à savoir quel niveau de votre être est en train d'exprimer un besoin. Écoutez les réponses qui naissent en vous et notez-les. Observez comment, avec le temps, vos désirs s'accomplissent ou se transforment en des expressions différentes. Qu'ils soient satisfaits ou qu'ils changent, de nouveaux désirs apparaîtront pour remplir le vide. Prenez conscience des forces qui stimulent vos choix et vous entretiendrez une relation plus intime avec votre nature essentielle. Cela approfondira votre lien avec votre âme – c'est le but du yoga.

Lorsque vous commencez à mieux connaître votre identité et vos désirs, posez-vous la troisième question de l'âme : « Comment puis-je servir ? » Fermez les yeux, concentrez-vous sur l'aire de votre cœur et posez-vous les questions suivantes en écoutant les réponses qui surgiront de votre être profond :

Comment puis-je servir ?
Comment puis-je être utile ?
Comment puis-je aider ?
Comment puis-je servir le mieux ?

Le dialogue qui se tient à l'intérieur du corps subtil tourne autour de questions comme : « Que vais-je en tirer ? » ou « Quel avantage vais-je obtenir ? » Au fur et à mesure que votre point de référence intérieur inclut votre corps causal, vos questions changent. Désormais, vous vous demandez : « Comment puis-je aider ? » Tandis que votre sens du moi s'élargit, votre compassion augmente en proportion ; vous vous souciez alors de l'influence qu'exercent vos choix sur votre entourage. Les sages qui pratiquent le yoga approuveraient certainement les trois questions que se posait le rabbin Hillel au premier siècle :

« Si je ne suis pas pour moi-même, qui le sera ?
Si je ne suis pas pour les autres, qui suis-je ?
Si ce n'est pas maintenant, quand cela sera-t-il ? »

L'objectif essentiel du yoga est de découvrir l'aspect de votre être qui jamais ne se perdra. Votre travail, vos relations, votre corps, vos croyances, vos désirs, vos idées sur votre rôle en ce monde peuvent changer, mais l'essence de votre personnalité réside dans la continuité d'une conscience qui n'a ni commencement ni fin. Vos pensées, vos certitudes, vos attentes, vos objectifs et vos expériences peuvent varier, mais celui qui les partage ne change pas.

Tandis que vous poursuivrez votre pratique du yoga, vous découvrirez que les réponses aux questions « Qui suis-je ? » « Qu'est-ce que je veux ? » et « Comment puis-je servir ? » proviennent d'une couche très profonde de votre être. Vous comprendrez que votre sens de l'identité change, qu'il reflète une vision plus large de votre moi. Vos désirs deviennent moins personnels. Tandis que votre concept du moi s'élargit, votre préoccupation des autres augmentera sans doute. Vous aspirerez plus fortement à servir votre communauté et votre monde. Cette expansion de la conscience de soi est l'essence du yoga.

3

La voie royale vers l'union

Dans le silence, l'âme trouve le chemin vers une lumière plus claire, et ce qui est insaisissable et trompeur se résoud dans une clarté totale.

Mahatma Gandhi

Votre corps est un champ de molécules, votre mental un champ de pensées. Et ce qui conditionne et anime votre corps et votre mental est un champ de conscience – le champ de l'esprit. Comprendre que vous êtes un esprit sans attaches ni limites, déguisé dans un corps-esprit, vous libère. Cette découverte vous permet de vivre avec confiance et compassion, amour et enthousiasme. Pour déterrer les couches les plus profondément enfouies en vous, Maharishi Patañjali a inventé les huit branches du yoga : *Yama, Niyama, Āsana, Prānāyama, Pratyāhāra, Dhāranā, Dhyāna*, et *Samādhi*. On les appelle les *asthanga (astha* signifie huit et *anga* membres) du yoga, mais il ne s'agit pas d'une succession d'étapes. Ce sont plutôt différents points d'accès à un sens élargi du moi. À travers des interprétations, des choix et des expériences, ces points vous rappellent votre nature essentielle. Ce sont les éléments du *Raya yoga*, le chemin royal vers l'union. Détaillons-les.

Première branche du yoga : le Yama

Le Yama concerne les « règles de comportement social », les lignes de conduite universelles qui permettent de nouer relation avec autrui. Les Yamas invitent les êtres humains à

1) pratiquer la non-violence,

2) s'exprimer en toute sincérité,

3) contrôler leur sexualité,

4) être honnêtes et

5) généreux.

Toutes les traditions spirituelles et religieuses exhortent les hommes et les femmes à respecter une éthique. Le yoga en fait partie, mais les yogis considèrent que, pour vivre en parfaite harmonie avec l'environnement, en appeler à la morale en appliquant une liste d'obligations et d'interdits est difficile. Patañjali voit dans les yamas le moyen, pour un être éclairé, de modifier son comportement de façon spontanée et progressive.

Si vous croyez que votre individualité est intimement mêlée au tissu même de la vie, que vous constituez un fil de sa toile, vous ne pouvez nuire à personne. Vous adhérez aux règles de comportement social parce que vos actions s'ancrent instinctivement dans la justesse. Lorsque l'on atteint cet état, le *Kriyā Shakti*, on se comporte en accord avec la loi naturelle. Même si *kriyā* et *karma* signifient tous deux « action » en sanskrit, le *kriyā* ne produit pas de réaction, tandis que le *karma* engendre automatiquement des conséquences proportionnées. Quand vous agissez à partir du niveau du *Kriyā Shakti*, vous évitez toute résistance, et les conséquences personnelles sont donc nulles. Parfois, on désigne cet état de conscience par les expressions « être dans le courant » ou « dans la zone ».

Si vous agissez à partir de ce niveau de votre âme, vous ne pouvez être violent : en effet, tout votre être est installé dans la paix. Telle est l'essence du premier yama, l'*ahimsā* en sanskrit. Vos pensées sont non violentes, tout comme vos actions et vos paroles. La violence n'a pas de place dans cet état : votre cœur et votre mental sont remplis d'amour et de compassion pour la condition humaine. Au cours de la lutte de l'Inde pour son indépendance, le mahatma Gandhi défendait ce principe et déclarait : « Si vous exprimez votre amour de telle façon qu'il s'imprime, de façon indélébile, sur votre "ennemi", ce dernier devra rendre cet amour. [...] Une telle attitude exige un courage bien plus grand que de distribuer des coups. »

Deuxième Yama : la véracité, ou *satya*. Dans cet état, vous apprenez à différencier vos observations de vos interprétations. Vous acceptez le monde tel qu'il est, vous reconnaissez que la réalité est un acte sélectif d'attention et d'interprétation. La façon d'atteindre cette vérité varie selon les individus, mais elle suppose des choix de vie, à long terme, en harmonie avec une vision élargie du soi. Patañjali a décrit la vérité comme l'intégrité de la pensée, de la parole et de l'action. Vous partagez la vérité et vous êtes foncièrement honnête parce que la véracité correspond à votre choix spirituel. À court terme, les bénéfices obtenus en déformant le vrai ne valent pas le malaise qui vous envahit lorsque vous trahissez votre intégrité. Vous finirez par assimiler que la vérité, l'amour et Dieu ne sont que des expressions différentes de la même réalité indifférenciée.

On traduit souvent le *Brahmacharya*, le troisième Yama, par « chasteté », mais ce terme nous semble trop restrictif. Ce mot composé vient de *achara*, le « chemin », et de *brahman*, la « conscience de l'unité ». Dans la société védique, les individus choisissaient traditionnellement l'une des deux voies de l'illumination – la voie de la connaissance du soi ou la voie du renoncement. Pour ceux qui veulent devenir moines ou religieuses, le chemin vers l'unité de la conscience implique naturellement d'abandonner toute activité sexuelle. Pour l'immense majorité des êtres humains qui optent pour la voie de la connaissance du soi, le *Brahmacharya* signifie l'épanouissement dans l'expression saine de l'énergie sexuelle. *Charya* peut avoir le sens de « pâturage », suggérant donc que le *Brahmacharya* conduit au partage du sacré dans la vie quotidienne.

Le pouvoir créateur essentiel de l'univers est d'ordre sexuel et vous êtes l'une des manifestations aimantes de cette énergie. Si vous considérez toute la création comme l'expression de l'impulsion divine à engendrer, vous célébrez les forces créatrices. Le *Brahmacharya* implique d'être en harmonie avec l'énergie créatrice du cosmos. En dernière instance, pendant que votre âme fait l'amour avec le cosmos, votre besoin d'exprimer votre sexualité peut être supplanté par une expression beaucoup plus large de l'amour.

Le quatrième Yama, *asteya* ou « honnêteté », implique de renoncer à l'idée que les choses extérieures vous procureront sécurité et bonheur. Dans cet état de conscience, vous décidez de ne plus vous accrocher à rien. Généralement, on doit le manque d'honnêteté à la peur de perdre – de l'argent, de l'amour, une position sociale, du pouvoir. La capacité de vivre une existence honnête est fondée sur une communion avec l'esprit. Lorsque la complétude intérieure domine, vous perdez le besoin de manipuler, de tromper autrui ou de dissimuler. L'honnêteté correspond à l'état intrinsèque d'une personne qui vit dans l'intégrité. Selon le yoga, les comportements qui soutiennent l'existence, qui vont dans le sens de l'évolution, sont la conséquence naturelle d'une conscience élargie.

Dans le cinquième Yama, qui correspond à l'état de générosité ou *aparigraha*, le point de référence intérieure, au lieu de se focaliser sur l'ego, repose avant tout sur l'esprit. Quand un yogi sait que sa nature essentielle est non locale, sa générosité s'exprime dans l'ensemble de ses pensées, de ses paroles et de ses actes. Alors qu'une conscience contrainte renforce nos limites, une conscience élargie induit l'abondance. Ce Yama implique l'absence d'aversion. Enraciné dans l'*aparigraha*, votre attachement à l'accumulation de biens matériels vous empêche toute emprise sur vous-même. Désormais, vous continuez à jouir du monde sans en être prisonnier. Le yoga, cultivant une conscience élargie, éveille la générosité parce que la nature est généreuse.

Deuxième branche du yoga : le Niyama

Selon Patañjali, la deuxième branche du yoga concerne les « règles du comportement personnel », les qualités qui s'expriment naturellement chez une personnalité en évolution.

Comment vivez-vous quand il n'y a personne pour vous regarder ? Quels choix faites-vous quand vous êtes le seul témoin de vos actes ?

Les Niyamas du yoga encouragent

1) la pureté,

2) la satisfaction,

3) la discipline,

4) l'exploration spirituelle et

5) l'abandon au divin.

Ces qualités ne naissent pas parce qu'une personne adopte une morale fondée sur l'autosatisfaction, mais parce qu'elle mène une vie naturelle, bien équilibrée. Comme l'a dit H.G. Wells : « L'indignation morale n'est qu'une forme de jalousie entourée d'un halo ». Cette réflexion est parfaitement conforme à la philosophie du yoga.

Tout comme une conduite sociale idéale, les qualités d'une personne en évolution proviennent de sa connexion à l'esprit. Le fait de vous concentrer sur le premier Niyama, la pureté ou *shoucha,* n'enrichit nullement votre vie si vous continuez à porter des jugements ; en revanche, si vous savez choisir entre ce qui vous nourrit et ce qui est toxique, les résultats sont totalement différents. Votre corps et votre mental se contruisent à partir des impressions que vous communique l'environnement. Les sons, les sensations, les images, les goûts et les odeurs transportent l'énergie et les informations que vous métabolisez. Le yoga vous encourage à choisir consciemment les expériences qui nourrissent votre corps, votre mental et votre esprit.

Le contentement, ou *santosha*, est le parfum de la conscience du moment présent. Lorsque vous luttez contre le moment présent, vous luttez contre tout le cosmos. Le contentement n'induit pas l'acceptation. Les yogis prennent l'engagement de soutenir, par leurs pensées, leurs paroles et leurs actes, les changements qui facilitent l'évolution, qui augmentent le bien-être de toutes les créatures dotées de sensations sur cette planète. Le contentement sous-entend que l'on accepte quelque chose, sans pour autant se résigner.

Le contentement apparaît lorsque vous renoncez à votre besoin de contrôle, de domination et d'approbation. *Santosha* correspond à une absence de dépendance par rapport au pouvoir, aux sens et à la sécurité. À travers le yoga, votre expérience du moment présent calme les turbulences mentales qui perturbent votre contentement – contentement qui reflète un état d'être dans lequel votre paix intérieure ne dépend plus des situations et des circonstances extérieures.

Le troisième Niyama, *tapas*, est synonyme de « discipline » ou d'« austérité ». Littéralement ce mot signifie « le feu ». Lorsque le feu de la vie d'un yogi brûle, il agit comme une sorte de phare qui projette une lumière vive et recouvre le monde d'une lumière d'équilibre et de paix. Le feu consume aussi bien de la bonne nourriture que de la toxicité. Un feu intérieur sain peut métaboliser toutes les impuretés.

Souvent, on associe discipline et privation. Ceux qui mènent un mode de vie yogique font preuve de discipline parce que leurs rythmes biologiques sont en harmonie avec les rythmes de la nature. Les yogis se lèvent tôt, méditent chaque jour, font régulièrement leurs exercices, mangent de façon saine et équilibrée, se couchent tôt parce qu'ils harmonisent leurs rythmes personnels avec ceux de la nature et ont pu en constater directement les bienfaits. Les pratiquants des *tapas* pensent que la transformation mène à une conscience supérieure.

Quatrième Niyama : l'étude de soi, ou *svadhyāna*. Traditionnellement, on la définit comme l'étude de la littérature spirituelle, mais elle implique, fondamentalement, de regarder à l'intérieur de soi. Il existe une différence entre la connaissance et la conscience du savoir. Le yoga nous conseille de ne pas confondre information et sagesse – et l'étude de soi vous aide à comprendre cette distinction. Elle incite à commencer sa quête à partir de soi plutôt qu'à partir d'objets. Votre valeur et votre sécurité dans la vie proviennent d'une connexion profonde à l'esprit, et non des éléments qui vous entourent. Lorsque le *svadhyāna* s'épanouit dans votre conscience, la joie naît en vous ; elle ne dépend plus de réalisations ou d'acquisitions extérieures.

Le dernier Niyama, *Ishwara-Pranidhana*, fait référence à la « foi », à l'« abandon à Dieu ». *Ishwara* est l'aspect personnalisé de l'infini. Même lorsqu'il s'intéresse à ce qui est illimité, le mental veut fabriquer des limites. *Ishwara* nous familiarise avec le champ infini et illimité de l'intelligence. En dernier lieu, *Ishwara-Pranidhana* conduit à s'abandonner à la sagesse de l'incertitude. Les graines de la sagesse sont semées quand vous vous livrez à l'inconnu. Le passé est connu. La transformation, la guérison et la créativité naissent de la conscience du moment présent : a fortiori, cela implique que vous laissiez de côté votre attachement au passé et ouvriez les bras à l'incertitude.

L'autre jour, nous avons eu un ami au téléphone. Il nous appelait depuis l'unité de soins coronariens d'un hôpital new-yorkais où il avait été opéré d'un triple pontage. À seulement quarante-deux ans, végétarien, il n'avait jamais fumé et pratiquait régulièrement la méditation. Un homme d'une grande spiritualité. Nous étions évidemment préoccupés par sa santé et son moral, mais il nous rassurait. Il était persuadé que tout se passerait bien.

Quelques jours avant son opération, il était allé faire un tour de montagnes russes à Coney Island. Il adore ce type de manège parce que, malgré l'agitation, il se sent toujours en sécurité. De la même façon, grâce à sa profonde relation avec l'esprit, notre ami était capable de s'abandonner à l'inconnu quand une de ses artères s'était bouchée. Il avait confiance : quelle que soit l'évolution de sa santé, il accepterait sans problème l'issue de ses ennuis. Voilà un bon exemple d'*Ishwara-Pranidhana* – d'abandon au divin.

Yamas et Niyamas sont au centre du dialogue intérieur d'un yogi. Ce ne sont pas des qualités dont on s'entiche ou que l'on manipule. Elles naissent spontanément comme l'expression naturelle d'un sens plus élargi du soi. En un sens, elles sont les jalons de votre progrès spirituel. Permettez-leur de résonner dans votre conscience, en évitant d'être critique vis-à-vis de vous-même ou d'autrui quand vous échouez à exprimer leur plus haute valeur. Pour éveiller la pensée et l'action immédiatement favorables à l'évolution, Patañjali nous incite à nous concentrer sur les aspects les plus raffinés de notre corps : notre respiration, nos sens et notre mental. Ce que nous proposent les branches suivantes du yoga.

Troisième branche du yoga : Āsana

Ce mot signifie « siège » ou « position ». Quand on pense au yoga, on pense habituellement à cette branche, aux postures destinées à acquérir souplesse et tonicité. À un niveau plus profond, l'*āsana* conduit à l'intégration complète corps-esprit, état dans lequel vous devenez conscient du flux énergétique qui vous traverse. Pratiquer les āsanas permet d'agir en totale conscience.

Dans la grande épopée indienne qu'est le *Bhagavad Gitā*, le Seigneur Krishna demande au premier archétype humain Arjuna de s'établir dans l'être, puis d'accomplir un geste en concordance avec la loi de l'évolution. En sanskrit, l'expression *Yogastah kurukarmani* signifie « Une fois installé dans le yoga, accomplis l'action. » Le mot yoga se réfère ici à l'intégration et à l'unification de l'esprit, du corps et du mental.

Les postures du yoga enrichissent formidablement votre corps et votre mental. Elles contribuent à créer l'équilibre, la souplesse et la force, qualités essentielles pour mener une vie saine et dynamique. Quand il est mené vigoureusement et par étapes, le yoga est également un exercice d'aérobic efficace pour améliorer votre forme cardiovasculaire.

En plus des bienfaits immédiats obtenus par l'accomplissement des postures, les *āsanas* exercent aussi une influence durable pendant la journée. Si vous accomplissez régulièrement les āsanas, vous vous sentirez plus souple sur le plan physique et émotionnel. La souplesse marque la différence essentielle entre la vitalité de la jeunesse et la lassitude de la vieillesse. Il existe une devise yogique pleine d'enseignements : « La souplesse infinie est le secret de l'immortalité. » De même qu'un palmier s'adapte plutôt que de résister aux vents violents, un corps et un mental souples vous permettent de vous adapter aux changements inévitables de la vie. La pratique régulière des āsanas cultive la souplesse tout en vous aidant à expulser les toxines qui stagnent dans votre corps et entravent la libre circulation de l'énergie vitale.

Dans le programme des Sept Lois Spirituelles du Yoga, nous avons choisi les āsanas qui augmentent la souplesse de vos articulations, améliorent l'équilibre, renforcent les muscles et apaisent le mental. Si vous combinez souplesse, équilibre, force et paix intérieure, vous pouvez surmonter n'importe quel obstacle. Nous étudierons en détail les positions de yoga les plus importantes dans le chapitre 5.

Quatrième branche du yoga : le Prānāyama

Le *Prāna* est la force vitale, l'énergie essentielle qui anime la matière inerte, lui donne vie, et dont l'évolution conduit à l'apparition d'êtres biologiques. Lorsque nous étions en première année de médecine, nos professeurs d'anatomie pensaient encore que l'étude d'un cadavre permettait d'apprendre ce qu'est la vie. Au début du XXe siècle, les savants pesaient encore les malades en phase terminale avant et après leur mort afin de mesurer la différence éventuelle. (N'en ayant enregistré aucune, ils conclurent que l'âme ne pesait rien du tout.)

Dans la perspective du yoga, la différence entre un être vivant et un cadavre est la présence du prāna, de l'énergie vitale.

Quand le prāna coule librement à travers votre corps-esprit, vous vous sentez en bonne santé, énergique. S'il est bloqué, la fatigue et la maladie suivent rapidement. On retrouve le concept de force vitale dans toutes les traditions spirituelles qui s'intéressent à la sagesse et la guérison. Dans la médecine traditionnelle chinoise, on l'appelle le *chi* ou le *qi*, et *ruach* dans la tradition kabalistique. Selon Patañjali, les techniques de respiration consciente (le *prānāyama*) peuvent jouer un rôle décisif pour donner vie au prāna.

Le *prānāyama* conduit à la maîtrise de la force vitale. Il existe une relation intime entre votre respiration et votre mental. Quand votre mental est centré et calme, votre souffle l'est aussi. Lorsque votre mental s'agite, votre respiration est irrégulière. Le chapitre 4 de cet ouvrage décrit un certain nombre d'exercices classiques de respiration conçus pour nettoyer, équilibrer et fortifier le corps. De même que votre souffle est affecté par votre activité mentale, votre mental peut être influencé par la régulation consciente de votre respiration. Le prānāyama offre un outil efficace pour améliorer l'intégration neuro-respiratoire.

Le prāna, force vitale, coule à travers la nature et l'univers. Quand vous êtes conscient de l'énergie pranique à l'intérieur de votre corps, vous devenez instinctivement plus sensible à la relation entre votre individualité et votre universalité. Le prānāyama peut ainsi faire passer votre conscience d'un état limité à un état élargi de conscience.

Cinquième branche du yoga : le Pratyāhāra

Patañjali nous incite à prendre le temps de retirer nos sens du monde pour entendre plus clairement notre voix intérieure. Le *pratyāhāra* consiste à diriger ses sens vers l'intérieur pour devenir conscient d'éléments subtils comme l'ouïe, le toucher, la vue, le goût et l'odorat. En dernière analyse, toute expérience se déroule dans la conscience. Lorsque vous regardez une fleur dans votre jardin, vos yeux reçoivent des fréquences de radiation électromagnétique qui déclenchent des réactions chimiques dans les cellules (les bâtonnets et les cônes) à l'arrière de vos yeux. Suite aux changements chimiques dans votre rétine, des impulsions électriques atteignent le cortex visuel, derrière votre cerveau. L'interprétation de ces fluctuations d'énergie et d'information a lieu dans votre conscience.

Même si vous voyez une fleur à l'extérieur de vous, vous la percevez en fait à l'intérieur de vous, sur l'écran de votre conscience. C'est pourquoi les grands yogis affirment : « Je ne suis pas dans le monde, c'est lui qui est en moi. »

Par le *Pratyāhāra*, vous prenez conscience de vos expériences sensorielles subtiles, les *tanmātras*. Les graines de l'ouïe, de la sensation, de la vue, du goût et de l'odorat reposent dans votre conscience. En pénétrant à l'intérieur de vous-même, vous accédez à ces impulsions. Vous découvrez que le monde des formes et des phénomènes n'est qu'une projection de votre conscience.

Vous pouvez éveiller les tanmātras en activant les impressions sensorielles les plus fines sur l'écran de votre conscience. Demandez à un ami de vous lire les descriptions suivantes pendant que vous avez les yeux fermés.

L'OUÏE

Imaginez
Le son d'une cloche d'église
Le bourdonnement d'un moustique près de votre oreille
Le fracas d'une vague qui s'écrase contre les rochers

Le toucher

Imaginez
Le contact d'un pull en cachemire
La douceur d'une peau de bébé
Des gouttes d'eau qui tombent sur votre visage durant une pluie estivale

La vue

Imaginez
Un coucher de soleil sur une mer calme
Un feu d'artifice
Le visage de votre mère

Le goût

Imaginez
Une fraise fraîche
Une cuillerée de glace au chocolat
Un piment très fort

L'odorat

Imaginez
L'odeur de la terre après la pluie
Le parfum des lilas en fleurs
L'odeur du pain frais

Le *pratyāhāra* permet à vos sens d'ignorer temporairement le monde extérieur pour explorer les sensations de votre monde intérieur. Le Pratyāhāra ressemble à une sorte de jeûne sensoriel. *Prati* signifie « éloigné » et *āhāra* « nourriture ». Si vous restez « éloigné de toute nourriture » pendant une journée, votre prochain repas aura un goût exceptionnellement délicieux.

Quand vos sens cessent momentanément de fonctionner, vous êtes en mesure d'apprécier toute la subtilité des goûts et des odeurs. Selon la philosophie du yoga, il en est de même pour toutes vos expériences. Prenez le temps de vous retirer du monde un petit moment et vous découvrirez que vos expériences n'en seront que plus fortes.

En pratique, le Pratyāhāra vous conduit à vous concentrer sur les impulsions sensorielles qui vous parviennent la journée, en préférant, dans la mesure du possible, multiplier celles qui nourrissent votre corps, votre mental et votre âme aux autres, toxiques.

Choisissez les sons, les sensations, les images, les goûts et les odeurs qui vous inspirent. Soyez attentif : échappez aux situations, aux circonstances ainsi qu'aux individus qui affaiblissent votre vitalité et votre enthousiasme. En ce qui concerne le yoga, le Pratyāhāra vous pousse à définir un espace où vous serez moins distrait par les sensations produites par votre environnement (radio, chaîne ou téléviseur qui vous casse les oreilles, discussions violentes, etc.). Ainsi vous pourrez hisser votre conscience jusqu'à des zones intérieures plus paisibles. Chaque jour fermez les yeux quelques minutes afin de vous installer dans des états de conscience plus élargis grâce à la méditation.

Sixième branche du yoga : le Dhāranā

Le Dhāranā correspond à la maîtrise de l'attention et de l'intention. Le monde est, essentiellement, un tourbillon quantique d'énergie et d'information. Ce que vous percevez actuellement résulte d'un choix sélectif dicté par l'attention et l'interprétation. La différence entre une orange et une pomme, une rose et un œillet, renvoie à des différences quantitatives et qualitatives d'énergie et d'information caractérisant l'objet de votre perception. Grâce à votre attention et votre intention, vous immobilisez l'énergie et l'information contenues dans une fleur parfumée, pourvue de pétales et d'une tige parsemée d'épines ; puis vous créez, dans votre conscience, une représentation multisensorielle que vous identifiez à une rose. Sans les caractéristiques biologiques uniques du système nerveux, le concept de rose n'existerait que potentiellement.

Tout ce vers quoi vous dirigez votre attention prend de l'importance à vos yeux. Que vous vous concentriez sur la construction d'une entreprise, l'acquisition d'une meilleure forme, l'amélioration d'une relation amicale ou amoureuse, ou le développement d'une pratique spirituelle, l'objet de votre attention prend vie par l'intermédiaire de votre conscience, et s'impose à votre existence par une force de plus en plus présente. En apprenant à valoriser votre attention, à la considérer comme un bien précieux, vous bâtirez consciemment votre bien-être et votre réussite. Affiner votre concentration vous permettra de mieux vous soigner et transformera votre corps-esprit.

Une fois que votre concentration active quelque chose, vos intentions exercent une puissante influence sur sa concrétisation. Selon le yoga, vos intentions ont un pouvoir infini. Qu'il s'agisse de soigner une maladie, d'intensifier votre amour, d'en générer davantage, ou de raffermir la conscience de votre propre divinité. Clarifier vos intentions, c'est entamer leur réalisation. Lorsque votre conscience est solidement établie dans l'être et que votre intention est nettement définie, la nature vous aide à satisfaire vos désirs profonds.

Soyez conscient de vos intentions. Dressez une liste des choses qui vous sont le plus importantes. Deux fois par jour, relisez-la avant de méditer. Tandis que votre mental s'apaise, libérez vos intentions, abandonnez vos désirs à l'univers. Ensuite, concentrez-vous sur les indices qui se présentent et vous orientent vers l'accomplissement de vos désirs. Nous étudierons l'attention et l'intention en détail dans le chapitre suivant.

Septième Branche du Yoga : le Dhyāna

Le Dhyāna correspond au développement de la conscience du témoignage. Il permet d'exprimer que vous êtes *dans* ce monde, et non *de* ce monde. Vous vivez des expériences qui varient d'un moment à l'autre. Votre environnement, vos amis, votre travail, votre corps, vos sentiments et vos pensées changent. La seule constante, c'est le changement perpétuel. Le Dhyāna permet de cultiver votre conscience afin que, au milieu de ces changements incessants, vous ne perdiez pas votre moi dans les objets de votre expérience. Bien que les situations, les circonstances, les êtres humains et les choses se modifient constamment, votre propre dimension, celle qui observe ces changements, est l'essence de votre être – votre âme.

Si l'on veut cultiver cet état de conscience, celui de témoin en éveil continu, la méditation offre le moyen le plus direct : elle apprend à observer les pensées, les sentiments, les sensations et les sons qui apparaissent dans la conscience, sans avoir besoin de réagir vis-à-vis d'eux. Plus vous développerez cette capacité, plus vous serez capable de l'appliquer au quotidien. Vous resterez concentré et ouvert à toutes les possibilités, chaque fois qu'un défi surgit, afin de choisir la meilleure méthode qui maximisera les chances d'accomplir vos intentions et vos désirs.

Huitième branche du yoga : le Samādhi

Cet état repose sur une conscience pure, illimitée. Au-delà du temps et de l'espace, du passé et du futur, au-delà de l'individualité, le Samādhi donne un aperçu du champ de l'éternité et de l'infini. C'est votre vraie nature. Lorsque vous vous immergez régulièrement dans le Samādhi, vous catalysez la transformation de votre point de référence interne, qui passe de l'ego à l'esprit. Vous agissez dans le monde en tant qu'individu, tandis que votre état intérieur relève d'une grandeur universelle.

Dans cette disposition de l'être, la peur et l'angoisse ne font jamais surface. Vous abandonnez votre besoin de vous prendre trop au sérieux car vous admettez enfin que la vie est une pièce de théâtre cosmique. À l'instar d'un grand acteur, ou d'une grande actrice, vous jouez impeccablement votre rôle sans dissoudre votre authentique moi dans le personnage que vous interprétez. Tel est le but du yoga – se connaître comme un être spirituel, portant le déguisement d'un être humain qui s'enracine dans l'union et agit en harmonie avec le flux de l'évolution.

Nous avons exposé les grandes lignes des découvertes de Patañjali, cet éminent explorateur de l'espace intérieur. Dans le prochain chapitre, nous approfondirons les principes qui fondent le yoga – les Sept Lois Spirituelles qui régissent la relation entre le corps, le mental et l'âme.

4

Les Sept Lois Spirituelles du yoga

Si vous arrivez à cesser toute activité, toute agitation,
votre nature essentielle apparaîtra.

Lao Tseu

Nous avons exposé les grandes lignes des théories présentées par deux des plus grands yogis qu'ait connus cette planète : Shankara et Patañjali. Ces deux approches, étroitement liées, sont les pierres angulaires de la philosophie yogique. Dans ce chapitre, nous appliquerons les Sept Lois Spirituelles du Succès aux préceptes et à la pratique du yoga. Les Sept Lois Spirituelles du Succès appliquent les lois de la nature à l'expérience humaine. Elles définissent les principes grâce auxquels ce qui n'est pas manifesté le devient et l'esprit investit l'univers matériel. Nous croyons important d'appliquer les Sept Lois à la pratique du yoga car les fondements du yoga nourrissent une vie établie sur l'équilibre, la souplesse et la vitalité. Le yoga enrichit la vie. Une pratique réussie donne les moyens de mener une existence réussie.

Les Sept Lois sont présentées ci-dessous de façon condensée, et nous nous intéresserons à la manière dont elles enrichissent une pratique yogique. Chaque loi est associée à un mantra particulier qui vibre en harmonie avec son principe essentiel. Relisez chaque matin la loi du jour, au réveil, et le soir avant de vous coucher, pendant quelques minutes. Durant la journée, pensez au mantra correspondant pour que l'énergie de la loi résonne en vous.

Depuis des années, à travers différents pays, des hommes et des femmes entament leur journée en réfléchissant à l'une des Lois du Succès et formulent l'intention de l'appliquer pour les vingt-quatre heures qui suivent. Concentrez-vous sur la première loi le dimanche. Le lundi, intéressez-vous à la loi suivante et terminez l'étude de la septième le samedi. Vous travaillerez en harmonie avec des millions de personnes qui suivent les Sept Lois Spirituelles du Succès. Voyons comment chacune d'elles correspond à une pratique du yoga.

Jour de la semaine	Loi spirituelle
Dimanche	Loi de potentialité pure
Lundi	Loi du don (ou du donner et du recevoir)
Mardi	Loi du karma (ou de la cause et de l'effet)
Mercredi	Loi du moindre effort
Jeudi	Loi de l'intention et du désir
Vendredi	Loi du détachement
Samedi	Loi du dharma (ou du but de la vie)

Première Loi du Succès : la Loi de potentialité pure

La conscience pure réside au cœur de votre être. Ce champ de la conscience pure est celui de toutes les possibilités et inspire la créativité sous toutes ses formes. La conscience pure constitue votre essence spirituelle et la source de toute joie. Le champ de la potentialité pure est le domaine de la connaissance, de l'intuition, de l'équilibre, de l'harmonie et de la béatitude. Quand il engendre des pensées, des sentiments ou des actes, il reste paisible. Il est la matrice du silence qui donne naissance à tous les phénomènes et toutes les formes de vie. C'est votre nature. Le fond de vous-même n'est qu'un espace de potentialité pure.

Notre véritable moi, toujours attentif, est notre témoin silencieux. L'expérience du soi, ou la conscience du soi, signifie que notre point de référence est notre âme, plutôt que ce qui nous entoure. L'opposé de la conscience du soi est la conscience centrée sur l'objet. Lorsque votre point de référence vous est extérieur, vous êtes influencé par ce qui se passe en dehors du moi : les situations, les circonstances, les êtres humains et les aléas du quotidien... Vous avez besoin de l'approbation d'autrui et la recherchez constamment afin de vous sentir à l'aise et d'entretenir votre propre estime. Vos pensées et votre conduite attendent toujours une réponse, une réaction ; votre état de l'être est fondé sur la peur.

Quand votre point de référence est l'objet, vous êtes entièrement concentré sur votre ego. Cependant, l'ego ne résume pas votre nature : en l'espèce, il s'agit de votre masque social. Tantôt vous agissez en ami, tantôt en adversaire. Vous êtes un enfant en présence de vos parents, puis, à votre tour, un parent face à vos enfants. Encore une fois, lorsque vous parlez avec votre chef ou l'un de vos subordonnés, vous ne faites que jouer un rôle.

Votre masque social se nourrit de l'approbation des autres, s'emploie à les contrôler et se nourrit du pouvoir. En contrepartie, cette situation pousse votre ego à vivre dans la peur de perdre l'approbation, le contrôle et le pouvoir.

Mais votre moi véritable, votre âme, est complètement étranger à ces désirs. Immunisé contre la critique, il ne craint aucun défi et ne se compare à personne. Votre âme reconnaît, de sa plus grande sincérité, que le moi de chacun est identique à celui de son prochain. Seuls les déguisements de ce moi changent.

Pendant la pratique du yoga, la Loi de la potentialité pure nous rappelle que chaque mouvement émerge du champ silencieux des possibilités infinies. Plus le silence est profond, plus le mouvement est efficace. Chaque mouvement créé une vibration, une vague sur l'océan de la vie. Plus la connexion pénètre les entrailles de l'Océan, plus puissante est la vague qui se lève.

Pendant votre pratique du yoga, concentrez-vous sur votre espace de silence intérieur, entre chaque mouvement et chaque posture. Restez un témoin attentif pendant que vous effectuez chaque pose ; explorez ce champ de pure potentialité, sans localisation, tandis que vous vous engagez dans des activités limitées dans le temps et l'espace.

Éveillez la Loi de pure potentialité en accomplissant vos postures et, tout au long de la journée, observez les trois consignes suivantes :

1) Cultivez l'immobilité dans votre corps et votre mental. Entre les poses et les mouvements, concentrez-vous sur la paix et le calme qui vous habitent. Après avoir effectué votre série de postures, méditez, assis, en silence, pendant vingt minutes environ. La méditation apaise l'esprit et vous apprend à appréhender directement le champ de la pure conscience, où tout est connecté à tout.

2) Chaque jour, pendant vos poses, cherchez à revenir régulièrement à cet état de conscience durant lequel vous êtes un témoin attentif. À partir de l'immobilité intérieure de votre âme, observez l'activité dynamique du monde. Chaque jour, communiez avec la nature et observez en toute quiétude l'intelligence qui réside en toute chose vivante. Admirez un coucher de soleil, écoutez le son de l'Océan ou d'une rivière, ou bien respirez le parfum d'une fleur. À partir de cette tranquillité, ainsi qu'à travers la communion avec la nature, vous vous réjouirez du mouvement éternel de la vie dans toutes ses manifestations. Vous leur rendrez hommage.

3) Renoncez à tout jugement. Durant vos exercices de yoga, abandonnez le besoin de juger vos capacités.

Commencez chaque séance en affirmant : « Aujourd'hui, je ne jugerai rien ni personne. » L'acceptation de soi est la source et le but du yoga. Quand vous émettez constamment des jugements, y compris sur vous-même, que vous décidez que les choses sont justes ou fausses, bonnes ou mauvaises, vous perturbez votre dialogue intérieur, vous limitez la circulation d'énergie entre vous et le champ de potentialité pure. Le non-jugement cultive le silence dans le mental et vous donne directement accès au champ de la potentialité pure.

Mémorisez le mantra dont les qualités vibratoires s'harmonisent avec la Loi de potentialité pure. Répétez-le en silence quelques fois dans la journée pour vous rappeler que votre nature authentique relève de la potentialité pure.

Om bhavam namah.
Je suis une existence absolue.

Deuxième Loi du Succès :
la Loi du don (du donner et du recevoir)

L'univers fonctionne à partir d'échanges dynamiques. Votre corps interagit constamment avec le corps de l'univers. Votre mental parle avec l'esprit du cosmos. La vie a pour origine la circulation de tous les éléments, de toutes les forces qui appartiennent au champ de l'existence. L'échange harmonieux entre votre corps et l'univers physique, ainsi qu'entre votre esprit personnel et l'esprit collectif, s'exprime dans la Loi du don. Parce que votre corps, votre esprit et l'univers sont engagés dans une réciproque perpétuelle et active, stopper la circulation d'énergie équivaut à interrompre celle du sang. Chaque fois que le sang ne circule plus, il forme des caillots. Il coagule. Lorsqu'une rivière ne coule plus, l'eau stagne. Acceptez de donner et de recevoir, et la force vitale circulera de plus belle.

L'intention qui fonde vos actes de donner et recevoir est primordiale. Souhaitez toujours le bonheur à celui qui donne et à celui qui reçoit, car le bonheur soutient la vie et la nourrit. Ce que l'on reçoit est proportionnel au don quand celui-ci est inconditionnel et vient du cœur. Il faut que le don soit un acte de joie – vous devez éprouver du bonheur en donnant. Dans ce cas, l'énergie qui fonde le don augmente chaque fois davantage.

Pendant vos exercices de yoga, la Loi du don intervient dans chaque souffle. À chaque inspiration ou expiration, vous échangez des milliards d'atomes avec votre environnement.

Inspirez à fond et retenez votre respiration aussi longtemps que possible. Notez combien vous vous sentez mal à l'aise si vous vous accrochez à quelque chose censé être relâché. Maintenant, expirez à fond et, les poumons vides, retenez votre souffle. Remarquez la sensation désagréable qui naît alors en vous quand vous refusez de prendre ce dont vous avez besoin. Chaque fois que vous résistez à la Loi du don, votre esprit devient anxieux et votre corps mal à l'aise.

À chaque posture, des paires de muscles complémentaires se contractent et se détendent, retenant et relâchant de l'énergie selon la Loi du don. Lorsque la force vitale coule librement à travers votre corps-esprit, vous êtes en harmonie avec la générosité et la réceptivité de l'univers.

Pour mettre en œuvre la deuxième Loi du succès dans votre pratique du yoga, il est souhaitable de respecter les trois consignes suivantes :

1) Pendant vos postures, concentrez-vous sur votre respiration, en échangeant de l'air avec votre environnement, en inspirant et expirant calmement. Pendant la journée, dès que vous sentez une résistance dans votre corps parce que les choses ne fonctionnent pas comme vous le souhaitez, focalisez-vous sur votre souffle. Utilisez-le pour récupérer votre capacité de recevoir et de relâcher sans effort.

2) Cultivez un sentiment de gratitude pour les cadeaux que vous recevez. Lors de vos exercices de yoga, prenez

conscience de la force vitale qui circule en vous et remerciez la chance de disposer d'un esprit et d'un corps humains. Savourez les sensations de votre corps lorsqu'il se contracte et s'étire durant vos différentes postures. Célébrez votre incarnation physique qui permet à votre âme d'exprimer son sens et son objectif existentiels. Rendez grâce au caractère improbable de votre existence.

Notre cher maître Brahmananda Saraswati a déclaré un jour : « Il faut peut-être un million d'incarnations avant de réussir à obtenir un système nerveux humain. » Si vous ne vous en servez pas pour vous souvenir de votre nature sacrée et vous en réjouir, c'est un peu comme si vous aviez acheté au marché une laitue au prix d'un diamant.

3) Pendant vos exercices, formulez l'intention de vous abandonner aux besoins de votre corps. Plutôt que de forcer votre corps à adopter telle ou telle posture, écoutez les exigences de vos muscles et de vos articulations. L'impulsion du don résulte de l'expérience de la gratitude. Vous découvrirez, à travers ce subtil changement d'attitude, que des postures apparemment complexes deviennent plus faciles à réaliser.

En dehors de votre pratique des *āsanas*, souhaitez offrir quelque chose à tous ceux que vous rencontrerez durant la journée : un mot gentil, un compliment, un sourire, une prière ou un petit cadeau. De même, soyez ouvert pour recevoir les présents que l'on vous fera, qu'ils soient des cadeaux de la nature (des chants d'oiseaux, une courte pluie estivale, un arc-en-ciel, un beau coucher de soleil) ou de personnes de votre entourage (une embrassade chaleureuse, un geste de tendresse, une suggestion utile). Prenez l'engagement d'éveiller la Loi du don en saisissant toutes les occasions de faire circuler l'amour, la tendresse, l'affection, l'estime et l'acceptation.

Apprenez le mantra dont les qualités vibratoires s'harmonisent avec la Loi du don. Répétez-le en silence chaque fois que vous restreignez le flux du donner et du recevoir.

Om Vardhanam Namah.
Je suis celui qui nourrit l'univers.

Troisième Loi du Succès :
Loi du Karma (ou de la cause et l'effet)

Chacune de nos actions génère une force, une énergie, qui nous revient. Nous récoltons ce que nous avons semé. Quand nous agissons consciemment en faveur de ce qui apporte le bonheur et la réussite à d'autres, le fruit de notre karma n'est que bonheur et succès.

Souvent, on pense que cette loi nous emprisonne dans un cycle de réactions incessantes alors qu'elle incarne la liberté de l'homme. Le karma implique l'action d'une décision consciente, car nous faisons tous une infinité de choix. À chaque moment de l'existence, notre moi authentique réside dans le champ de la pure potentialité où nous avons accès à des choix illimités. Nous en faisons délibérément certains, mais pour la plupart, nous nous abandonnons à notre instinct. La meilleure façon de comprendre et de maximiser l'emploi de la loi karmique est d'être conscient des options offertes à tout moment.

Que vous le vouliez ou non, chaque événement est le résultat de choix pris dans le passé. Lorsque vous faites quelque chose inconsciemment, vous ne pensez pas, bien sûr, qu'il s'agit de choix, et pourtant, chaque fait ou geste dépend d'une décision. Si vous prenez un peu de recul quelques minutes et observez la voie que vous êtes en train de prendre, ce simple moment d'attention fera passer le processus du champ de l'inconscient à celui du conscient. Dans chaque situation, il existe une option parmi de nombreuses possibilités qui vous apportera le bonheur. À vous et à votre entourage. Ce choix vous nourrira et nourrira ceux qui seront impliqués dans cette action.

Dans le yoga, la Loi du karma se manifeste lorsque vous enchaînez consciemment les postures en étant conscient des réactions déclenchées par chaque action. Si, mû par l'impatience, vous vous forcez à prendre une posture à laquelle vous n'êtes pas encore prêt, votre corps-esprit réagira, et les conséquences de votre effort généreront souffrance et fatigue. Par contre, si vous enchaînez avec grâce les postures en respectant les limites de chaque pose, avec douceur et subtilité, votre corps-esprit réagira avec aisance et facilité.

Ralentissez vos mouvements et vous augmenterez la conscience des conséquences karmiques de vos choix. Si votre corps est particulièrement endolori au lendemain d'une séance de yoga, c'est sans doute parce que vous avez ignoré la Loi du karma. Vous avez probablement poussé trop fort, effectué un mauvais choix. Votre malaise est le prix karmique à payer.

En invoquant le passé, le karma se manifeste dans votre présent. Si vous approfondissez la conscience de vos choix, en puisant dans le champ de la conscience paisible de l'observateur attentif, alors vous prendrez des décisions libérées du karma.

Mettez en pratique la Loi du karma dans vos exercices de yoga et votre vie afin d'opter pour ce qui favorise l'évolution. Engagez-vous à suivre les trois consignes suivantes :

1) Pendant vos exercices, observez les choix que vous faites à chaque moment. Ils remonteront ainsi jusqu'à votre conscience. Soyez présent à chaque instant, et les moments à venir ne subiront pas les conséquences des précédents. La meilleure façon de se préparer aux circonstances futures est d'être pleinement conscient du présent.

2) Tandis que vous réfléchissez à la façon d'affronter une résistance éventuelle dans vos postures, posez-vous deux questions : « Quelles sont les conséquences de mon choix ? » et « Ce choix m'apportera-t-il plus de confort ? » Lorsque vous prenez des décisions en dehors de vos exercices de yoga, demandez-vous : « Quel choix est le

plus susceptible d'apporter le bonheur et l'accomplissement, à moi et à ceux concernés par ma décision ? »

3) Écoutez ensuite votre cœur pour qu'il vous guide et vous transmette un message de confort ou d'inconfort. Votre cœur est le point de jonction entre votre esprit et votre corps. Si vous vous sentez à l'aise, adoptez cette décision sans réserve. Dans le cas contraire, réfléchissez aux conséquences de votre acte en vous appuyant sur votre vision intérieure. Puisez dans les indications que vous fournit l'intelligence de votre corps, et vous agirez favorablement à votre évolution ainsi qu'à celle de vos proches.

Familiarisez-vous avec le mantra dont les qualités vibratoires sont à l'unisson avec la Loi du karma. Répétez-le en silence, quand vous faites des choix significatifs sur le plan karmique. Le fait de penser au mantra vous incitera à écouter votre corps afin que votre décision vous procure plus de bien-être et de joie.

Om Kriyam Namah.

Mes actions sont en symbiose avec la loi cosmique.

Quatrième Loi du Succès : Loi du moindre effort

L'intelligence de la nature fonctionne très facilement, sans aucun effort. Si vous observez le flux et le reflux des marées, l'épanouissement d'une fleur ou le mouvement des étoiles, la nature ne fait jamais d'efforts car elle respecte un rythme et un équilibre. Lorsque vous êtes en harmonie avec la nature, vous pouvez utiliser la Loi du moindre effort en maximisant ses effets et minimisant vos efforts.

Quand l'interprétation newtonienne du monde prévalait dans notre conscience collective, les principes de la force et de l'effort dominaient. Mais aujourd'hui, alors que la physique quantique fournit le modèle le plus complet pour expliquer le fonctionnement de l'univers, il n'y a pas de place pour la force et l'effort. Le timing et la subtilité sont les instruments de la transformation dans un monde compris comme l'expression d'un champ d'énergie et d'information sous-jacent. Plus simplement, la Loi du moindre effort nous enseigne que nous pouvons agir moins pour accomplir davantage.

La nature reste unie grâce à l'énergie de l'amour, et lorsque vos actes sont motivés par l'amour, vous dépensez moins d'énergie. Quand votre âme est votre point de référence interne, vous pouvez exploiter le pouvoir de l'amour et utiliser l'énergie de façon créative à propos de la guérison, de la transformation et de l'évolution.

La Loi du moindre effort a une valeur inestimable lorsque l'on pratique le yoga, discipline qui offre un excellent antidote à l'infortuné dicton : « Pas de résultat sans effort. » Le yoga vous apprend à vous détendre pour réussir une posture, plutôt qu'à forcer votre corps à l'adopter. Lorsque vous essayez une pose de souplesse, cherchez le point de résistance. Plutôt que d'obliger vos muscles à vaincre cette résistance, servez-vous de votre souffle. Vous accroîtrez vos capacités et augmenterez votre souplesse. Restez présent, pleinement conscient dans votre corps, et préparez-vous à vous abandonner. Dans le yoga comme dans la vie, la patience est une vertu. Plus vous serez capable d'accepter vos limites et vos points de vulnérabilité, plus vos limites reculeront, favorisant l'équilibre et l'énergie.

Pour éveiller la Loi du moindre effort dans vos exercices et dans votre vie, suivez les trois consignes suivantes :

1) Pratiquez l'acceptation. Durant vos exercices, acceptez votre corps tel qu'il est. Même si vous avez l'intention de le changer un peu, acceptez qu'il soit aujourd'hui pareil à ce qu'il devrait être, car l'univers est comme il devrait être. Oubliez votre besoin de combattre la terre entière en luttant contre le moment présent. En admettant chaque situation telle qu'elle est, vous êtes dans la meilleure position pour que cette situation franchisse un cap.

Dans votre vie quotidienne, acceptez les êtres humains en l'espèce, les circonstances comme elles se présentent. Comprenez que chaque moment de votre existence découle de vos décisions antérieures. Plutôt que de résister aux personnes ou aux circonstances, acceptez le présent et prenez la résolution de tout choisir consciemment.

2) Maintenant que vous acceptez les choses telles qu'elles sont, sentez-vous responsable des défis qui vous sont lancés. Nourrissez-vous d'aliments et d'exercices appropriés. Se sentir responsable ne signifie pas chercher un coupable pour l'état présent de son corps – du moins si l'on souhaite le changer de manière positive. Souvenez-vous que chaque défi cache une opportunité ; votre sensibilité aux occasions offertes vous permettra de profiter du moment présent et de le transformer pour en tirer bénéfice.

3) Conscience rime avec lâcher prise. Ne gaspillez pas votre énergie vitale à défendre votre point de vue ou à tenter de convaincre autrui. Restez ouvert à toutes les opinions, sans vous attacher de façon rigide à l'une d'elles, quelle qu'elle soit.

Ce troisième principe joue un rôle particulièrement important dans la pratique du yoga. Il existe différentes écoles et aucune ne détient la vérité à elle seule. Chaque professeur et chaque méthode introduisent leurs propres variations dans les postures, les enchaînements, le style et l'intensité. Système destiné à éveiller la souplesse du corps, du mental et de l'esprit, le yoga peut accueillir et honorer les nombreuses et différentes approches qui se sont développées au cours des siècles.

Testez plusieurs méthodes avant de trouver celle qui correspond le mieux à vos besoins du moment. La meilleure sera celle qui renforcera votre vitalité et votre souplesse. Concentrez-vous sur la Loi du moindre effort et cessez de gaspiller votre énergie vitale dans les frictions et les conflits. Une fois libérée, cette énergie favorisera la créativité, le développement personnel et la guérison.

Chaque fois que vous essayez de forcer un résultat qui n'est pas prêt à se manifester, souvenez-vous de la Loi du moindre effort. Introduisez le mantra qui résonne avec le principe selon lequel vous pouvez accomplir davantage en agissant moins. Ne gaspillez pas votre énergie en luttant, en faisant des efforts.

Om Daksham namah.
Mes actions obtiennent un bénéfice maximum
avec un effort minimum.

Cinquième Loi du Succès :
Loi de l'intention et du désir

Au niveau du champ quantique, il n'existe rien d'autre que l'énergie et l'information. Ce champ quantique, autrement dit le champ de la pure potentialité, est influencé par l'intention et le désir.

Tout être humain découvre subjectivement le champ quantique à travers ses pensées, sentiments, souvenirs, désirs, besoins, attentes, fantasmes et croyances. Dans son corps physique et dans le monde physique, il explore objectivement ce même champ. Au niveau du champ, la collection de pensées qu'est votre mental et la collection de molécules qu'est votre corps masquent la même réalité sous-jacente. Les anciens sages yogis avaient une expression pour décrire cette découverte : *Tat Tvam Asi*, « Je suis cela, tu es cela, tout ceci est cela, et c'est tout ce qu'il y a. »

Si vous convenez que votre corps n'est pas séparé du corps de l'univers, en changeant consciemment l'énergie et le contenu informationnel de votre propre corps, vous influencez l'énergie et l'information de votre corps élargi – votre environnement, votre monde. Cette influence est stimulée par deux qualités inhérentes à la conscience : *l'attention* et *l'intention*. L'attention donne vie à quelque chose tandis que l'intention la transforme.

Si vous voulez qu'un élément devienne plus puissant dans votre existence, concentrez-vous davantage sur lui. Si vous voulez que son influence diminue, cessez d'y prêter attention. L'intention, quant à elle, catalyse la transformation d'énergie et d'information. Elle la transforme en des formes et expressions nouvelles. Selon les anciens principes yogiques, votre intention possède un pouvoir d'organisation.

Les yogis accomplis sont des maîtres en matière d'attention et d'intention. Ils peuvent influencer leur physiologie, en dépit de ce que la science jugeait autrefois impossible. Les yogis sont capables d'augmenter ou diminuer leur tension, ralentir ou accélérer leur rythme cardiaque, élever ou baisser leur température corporelle, et amener leur système respiratoire et leur activité métabolique à un niveau quasi imperceptible. Dans le chapitre 5, nous montrerons comment utiliser l'attention et l'intention au service de la guérison et de la transformation. Plus vous maîtriserez votre corps à travers la Loi de l'intention et du désir, plus vous vous rendrez compte que vos intentions sont soutenues par la nature.

Vous pouvez apprendre à exploiter le pouvoir de la Loi de l'intention et du désir. Dans vos exercices de yoga et votre vie suivez les trois consignes suivantes :

1) Éclaircissez vos intentions et vos désirs. Notez régulièrement la liste des changements que vous souhaitez. Passez-les en revue avant de commencer vos exercices et d'entamer votre méditation silencieuse. Modifiez cette liste au fur et à mesure que vos désirs s'accomplissent ou se transforment. Observez comment évoluent vos intentions et vos désirs. Lorsque vous prenez le temps d'analyser ce que veulent votre cœur et votre esprit, vous accélérez la manifestation de vos désirs dans le monde.

2) Même lorsque vous faites passer vos intentions et vos désirs dans le champ de votre conscience, abandonnez le résultat final à la nature. Si les événements ne se déroulent pas exactement comme vous le souhaitez,

répétez-vous qu'un dessin supérieur est à l'œuvre. Vous pourriez probablement énumérer les cas où les choses ne se sont pas passées selon vos plans. Vous comprenez généralement un peu plus tard qu'un bienfait encore supérieur vous attendait.

En travaillant vos positions de yoga, conservez cette attitude intérieure d'abandon. Occupez-vous de vos intentions et abandonnez-les en enchaînant vos positions ; observez les résultats dans votre pratique du yoga et votre vie.

3) Dans toutes vos actions, n'oubliez pas d'avoir conscience, toujours, du moment présent. Ne permettez pas à un obstacle d'affaiblir ou détruire la qualité de votre attention. Lorsque vous commencez une position, soyez pleinement là ; cela renforce vos intentions et désirs les plus chers.

Tandis que, grâce à votre attention, vous donnez plus d'énergie à vos intentions et vos désirs, répétez le mantra en symbiose avec la Loi de l'intention et du désir :

Om Ritam namah.
Mes intentions et mes désirs sont soutenus
par l'intelligence cosmique.

Sixième Loi du Succès : la Loi du détachement

Cette loi nous dévoile un grand paradoxe de la vie : si l'on veut acquérir quelque chose en ce monde, il faut se débarrasser de l'attachement. Cela ne signifie pas qu'il faille abandonner l'intention d'accomplir ce désir, mais que vous devez renoncer tout simplement à votre attachement au résultat final.

L'attachement est fondé sur la peur et l'insécurité. Lorsque vous oubliez que la seule source véritable de sécurité est votre moi authentique, vous croyez avoir besoin de quelque chose en dehors de vous pour être heureux : une certaine somme d'argent à la banque, le remboursement définitif d'une hypothèque sur votre logement, l'achat d'une voiture de luxe, la perte de cinq kilos ou l'achat d'un nouveau vêtement. Malheureusement, chaque fois que votre bonheur est fondé sur un autre élément que votre moi authentique, l'insécurité augmente parce que vous savez, au plus profond de vous, que tout ce qui vous procure du bonheur peut disparaître. Une source potentielle, donc, de souffrance.

Selon les principes du yoga, la seule source de sécurité réside dans votre volonté d'ouvrir les bras à l'inconnu, d'accepter le champ de l'incertitude. En abandonnant votre attachement au connu, vous pénétrez dans le champ de la potentialité pure où la sagesse de l'incertitude imprègne tous vos choix. En pratiquant le détachement et en acceptant le doute, vous renoncez au besoin de vous accrocher au passé – seul élément connu. En vous ouvrant à ce qui se passe, plutôt que d'essayer de contrôler le déroulement des événements, vous connaîtrez l'excitation, l'aventure, l'euphorie et le mystère de la vie.

Appliquée au yoga, la Loi du détachement vous incite à abandonner votre attachement à une position idéale. Plutôt que de chercher à atteindre la posture parfaite, formulez l'intention que votre pratique éveille en vous des niveaux de conscience plus profonds et plus vastes. Renoncez à votre attachement pour une forme idéalisée et permettez à votre conscience d'embrasser l'essence du yoga : votre corps abandonnera naturellement sa résistance, accroîtra sa souplesse, et votre volonté progressera comme un bénéfice additionnel à votre détachement.

Le yoga n'est pas un sport de compétition. Vous n'arriverez pas à intégrer le corps, le mental et l'esprit en vous servant de la force et de l'effort. Le yoga est plutôt un système d'abandon conscient. Il accomplit l'union à travers l'attention et l'intention – en se débarrassant consciemment du conflit et de la lutte. Telle est l'essence de la Loi du détachement. Formulez clairement vos intentions dans votre conscience. Imaginez l'accomplissement d'un projet en pensant : « Que Votre volonté soit faite. » La coexistence de ces forces apparemment contradictoires – l'intention et le détachement – nourrit la souplesse par laquelle vous accomplirez vos objectifs existentiels.

talents au service des autres est la plus haute expression de la Loi du dharma. Quand vos expressions créatrices rencontrent les besoins de vos proches, l'abondance coule dans votre vie.

Le yoga agit en accord parfait avec le dharma. Faire bouger son corps de façon consciente et adéquate assure l'harmonie avec les lois de la nature. Chaque cellule, tissu ou organe a son dharma, qui est d'accomplir sa fonction unique tout en soutenant l'ensemble du corps. L'appareil digestif sécrète des sucs gastriques, déplace les aliments, absorbe les nutriments et élimine les toxines. Le système endocrinien sécrète des hormones vitales qui régulent le métabolisme, la reproduction, la croissance et le remplacement des cellules. Le système circulatoire régit la tension et le fonctionnement du cœur. Si chaque système a son rôle à jouer, l'objectif essentiel de leur existence est d'aider au fonctionnement global du corps.

Votre pratique du yoga nourrit votre dharma. Quand l'énergie vitale coule sans effort dans chaque cellule, chaque tissu et chaque organe, le dharma de chacun est accompli. Si la souplesse, l'équilibre et la force augmentent au fur et à mesure de vos exercices, c'est que vous acquérez de quoi exprimer vos talents dans le monde, en harmonie avec la Loi du dharma. Quand vous permettez à l'intelligence et à l'énergie vitale de la nature de couler en vous, vous vous souvenez de votre objectif spirituel – servir le monde et soutenir le flux de l'évolution.

Activez la Loi du dharma pendant vos exercices et dans votre vie en suivant les trois consignes suivantes :

1) Concentrez-vous sur l'immobilité et la tranquillité intérieures qui apaisent votre corps et votre mental. Pendant vos exercices de yoga et pendant la journée, concentrez-vous sur le témoin silencieux qui observe la totalité de vos pensées et de vos actions.

2) Devenez conscient de vos talents uniques et de ce que vous adorez faire en les exprimant. Pendant vos exercices, notez les positions que vous adoptez facile-

ment. Utilisez cette information pour devenir plus intime avec votre nature. Certaines personnes sont naturellement souples, d'autres ont naturellement de bons muscles, et d'autres un équilibre inné. Honorez vos dons naturels, même lorsque vous essayez de développer d'autres talents dans le yoga et votre vie.

3) Cultivez un dialogue intérieur fondé sur l'aide et le service d'autrui. Quand vos intentions, derrière chaque action, sont de vous aligner avec le dharma, vos actions se dérouleront sans effort et seront couronnées de succès. En vous demandant « Comment puis-je aider ? » et « Comment puis-je servir ? » vous accomplirez votre objectif spirituel.

Utilisez le mantra qui résonne avec la Loi du dharma pour vous rappeler cette loi, en particulier face aux tensions, aux conflits. Le mantra déplacera votre dialogue intérieur de la question « Que puis-je y gagner ? » à « Comment puis-je aider ? »

Om Varunam namah.
Ma vie est en harmonie avec la loi cosmique.

Tirez parti de vos atouts

Jusqu'ici nous avons exploré la théorie et la philosophie du yoga, discipline qui est une science de l'action mais également un moyen de réfléchir sur l'existence. Dans les chapitres suivants, nous présenterons les techniques essentielles qui, lorsqu'elles sont pratiquées naturellement, enrichissent la théorie du yoga dans l'expérience de la vie. Méditer, réguler la force vitale, apprendre à retenir et faire circuler l'énergie, ainsi qu'effectuer des mouvements en toute conscience vous permettront de tirer pleinement profit du yoga au niveau de votre corps, de votre mental et de votre âme.

DEUXIEME PARTIE

Méditation et respiration

5

Méditation : comment apaiser le mental

Vide la tasse.

Nan-in, maître zen

Votre cerveau produit des pensées qui parviennent sans arrêt à votre conscience. Si vous essayez de les arrêter afin d'instaurer l'immobilité dans votre tête, votre activité mentale s'apaisera quelques secondes, mais reprendra de plus belle très rapidement.

L'activité mentale se communique à chaque cellule. Les molécules messagères communiquent cette agitation aux cellules, tissus et organes. Apaiser le mental vous permet d'envoyer des messages de paix et d'harmonie à chaque cellule. Pour atteindre la véritable essence du yoga – l'intégration totale corps-mental-esprit – il faut développer la capacité de calmer les turbulences du mental.

Une pensée est un paquet d'énergie et d'information. Selon le yoga, il en existe deux sortes : les souvenirs et les désirs. Lorsque votre mental est actif, soit vous pensez à un événement du passé, soit vous anticipez un événement à venir. En sanskrit, *sanskāra* désigne le souvenir ou l'impression passée, et *vāsanā* le désir.

Les impressions engendrent les désirs. Si vous apercevez une publicité pour une voiture de luxe, une plage de rêve, ou une robe de soirée, une image se grave dans votre mental et peut ainsi donner naissance à un désir.

Suite à ce désir, vous êtes poussé à agir : à vous rendre chez un concessionnaire automobile, à appeler une agence de voyages ou à entrer dans une boutique.

L'action qui découle d'un désir s'appelle le *karma*. Ce cycle sans fin impressions-désirs-actions est un cercle vicieux qui maintient le mental en perpétuelle activité. On peut comparer le cycle *sanskāra-vasānā-karma* à une sorte de logiciel pour l'âme. Tant que vous pensez, votre mental parcourt indéfiniment ce cycle.

Néanmoins, la méditation permet de lui échapper. Concentrez calmement votre attention (*Dhāranā*, dans le yoga), tout en observant innocemment les pensées qui entrent et sortent de votre mental (*Dhyāna*) ; vous pénétrerez ainsi les interstices de la pensée, et accéderez à un aperçu de la conscience illimitée (le *Samādhi*). En faisant passer votre mental d'une conscience restreinte à une conscience élargie, la méditation vous indique le chemin le plus direct pour activer la Loi de pure potentialité.

Quand votre mental se concentre sur un souvenir ou un désir particulier, vos choix sont limités. Les êtres humains sont fréquemment prisonniers de schémas de pensée routiniers, ils croient qu'ils sont irrémédiablement coincés dans une situation parce qu'ils n'imaginent pas d'autres possibilités. Lorsque vous accédez au champ de pure potentialité en dépassant le conditionnement grâce à la pratique de la méditation, des possibilités créatrices, auparavant inconnues, s'ouvrent à vous.

La méditation peut prendre des formes très différentes malgré un dénominateur commun. Toutes les techniques vous extraient de votre mental conditionné et vous offrent les clés de la libération spirituelle. Celle-ci s'accomplit en explorant les aspects les moins différenciés, les plus purs d'une pensée jusqu'à ce que vous la sentiez émerger du champ non localisé de la conscience. Lorsque vous vous familiarisez avec des pensées qui se condensent à partir de la conscience, votre identité commence à se déplacer du mental à l'âme.

Vous avez la possibilité de vous concentrer et d'affiner votre perception des objets dans le cadre de n'importe quelle modalité sensorielle. Vous pouvez vous servir de la musique, de psalmodies, de tambours, ou du son de votre souffle pour focaliser votre attention. Ou bien utiliser des symboles visuels comme la flamme d'une bougie, les photos de personnes chères à votre cœur ou un coucher de soleil pour élargir votre conscience. Vous pouvez passer d'une conscience localisée à une conscience non localisée grâce au toucher – qui peut aller du massage thérapeutique aux rapports sexuels. Vous pouvez même momentanément dépasser le temps et l'espace en ayant recours à l'odorat et au goût.

Il est possible d'affiner chaque expérience mentale afin que la conscience soit moins contrainte, plus élargie. Cet état mental élargi constitue l'ultime expression de la Loi de pure potentialité, car toutes les possibilités résident dans ce champ de conscience illimitée. Elles en émergent.

Avant qu'elle naisse dans le mental, une pensée s'inscrit dans ce domaine de la conscience qui transcende la pensée. Elle est accessible par la méditation. Une très ancienne et très efficace technique incite à se demander : « Qui est en train d'avoir ces pensées ? » En vous interrogeant régulièrement, vous comprenez que les pensées naissent d'un champ de conscience plus profond que le mental. Des pensées que le mental ne peut contrôler.

Dans la tradition yogique, la méditation comprend classiquement l'utilisation d'un mantra ou d'un son primordial. « Mantra » signifie « instrument » ou « véhicule du mental ». Les mantras aident la conscience, embourbée jusqu'ici dans le champ turbulent de la vie, à atteindre un état d'être élargi, au-delà de toute fin et de tout commencement. Utilisées depuis des millénaires pour apaiser l'activité mentale, ces vibrations sont des sons qui résonnent de façon agréable, sans toutefois posséder de sens particulier ou servir à maintenir le mental actif. Celui-ci reste mobilisé grâce à l'association d'idées. Si vous l'écoutez, vous entendrez quelque chose du genre :

« Il faut que je diminue le débit de ma carte de crédit. Je n'avais pas vraiment besoin d'acheter ce sweater la semaine dernière. Il fallait que je porte quelque chose d'élégant à la fête de Stan. La nourriture était vraiment délicieuse. Ah, je n'aurais pas dû manger autant ! Je vais me mettre à faire de la gym dès la semaine prochaine. Je dois essayer de convaincre Tanya de venir avec moi. Je me demande si elle a réussi à se faire embaucher, etc. »

L'introduction d'un mantra interrompt temporairement le processus incessant d'association d'idées qui maintient le mental en ébullition. Introduire une pensée qui n'a pas de sens particulier rompt le cercle vicieux et vous permet d'apercevoir l'espace silencieux qui sépare vos pensées. Ce procédé déclenche la transformation de votre identité, et la fait passer du mental à l'esprit.

« Aum » ou « Om » est certainement le mantra le plus connu ; selon la tradition, il s'agirait du son de l'univers quand il se manifeste et passe d'une présence potentielle à la perception. Le fait d'utiliser le son qui représente le point de jonction entre le local et le non-local peut ramener la conscience au champ donnant naissance au mental.

Au Centre Chopra, nous enseignons une technique de méditation fondée sur les mantras : la *Méditation des Sons Primordiaux*, qui assigne à une personne l'un des 108 mantras fondés sur la date et le lieu de naissance. Cela exige une formation personnalisée, que nos instructeurs certifiés en méditation peuvent fournir dans la plupart des villes du monde.

Selon la théorie qui sous-tend la Méditation des Sons Primordiaux, l'univers exprime une fréquence vibratoire spécifique selon les moments de la journée. Vous vérifiez ce principe en observant la façon dont l'environnement vous semble différent à l'aube, à midi et au coucher du soleil. Pendant l'espace d'un mois lunaire, le « son » du monde change environ 108 fois. L'un de ces 108 sons est attribué à chacun en fonction de l'heure, de la date et du lieu de sa naissance. Ce son primordial ou mantra, symbolise, sur le seuil qui sépare la potentialité et l'individualité, le son du cosmos ; en effet, avant notre naissance, nous ne sommes que des êtres humains potentiels. Ce son primordial peut servir de support à la méditation et vous aider à revenir sur le seuil qui sépare l'individualité de l'universalité en vue de vous aider à le franchir – objectif ultime de la méditation.

La méditation fondée sur les chakras

On peut aussi méditer en entonnant des mantras à voix haute pour créer une résonance de guérison dans le mental et le corps. Chacun des sept centres d'énergie du corps, ou *chakras*, est associé à un mantra. Les chakras sont les principaux points de jonction entre la conscience et le corps. Chacun d'eux est associé à une vibration particulière. Si autrefois les voyants considéraient les mantras comme des roues ou des tourbillons de la force vitale, on les associe aujourd'hui aux principaux réseaux neuronaux ou aux systèmes hormonaux.

CHAKRA	ASSOCIATION NEURONALE	ASSOCIATION HORMONALE
1er Racine	plexus sacral	glandes adrénalines
2e Sexe	plexus lombaire	glandes reproductrices
3e Pouvoir	plexus solaire	pancréas, insuline
4e Amour	plexus cardiaque	thymus
5e Expression	plexus cervical	thyroïde
6e Intuition	plexus carotide	hypophyse
7e Sagesse	cortex cérébral	épiphyse

Chaque chakra correspond à un besoin humain fondamental. Lorsqu'il est ouvert, l'énergie qui coule à travers lui permet de satisfaire plus facilement ce besoin. Si un blocage se forme dans une zone du système corps-esprit, l'énergie stagne et vos intentions peinent à se concrétiser. Vous pouvez activer chaque centre d'énergie en vous concentrant sur sa localisation et en récitant à voix haute le mantra correspondant.

Pour commencer cette séance de méditation, asseyez-vous confortablement, la colonne vertébrale bien droite. Fermez les yeux et visualisez le lieu du centre d'énergie sur lequel vous souhaitez vous concentrer. Inspirez profondément tout en psalmodiant le mantra en une seule longue syllabe. Observez les sensations de votre corps et le sentiment de calme attentif dans votre mental après chaque mantra. Visualisez l'énergie qui coule sans effort, de la base de la colonne vertébrale jusqu'aux différents chakras, et s'élève jusqu'à la fontanelle. Notez vos sensations pendant la méditation et les conséquences physiques lorsque vous reprenez vos activités.

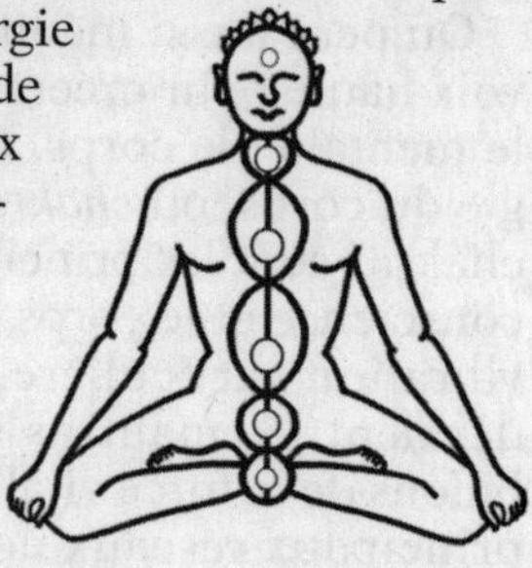

Premier centre d'énergie :
le chakra racine (ou *Mūlādhāra*)

Situé à la base de la colonne vertébrale, il régit vos besoins de survie fondamentaux. Lorsque l'énergie coule librement à travers ce chakra, vous êtes convaincu de pouvoir satisfaire vos besoins essentiels sans vous battre. Si un blocage se produit dans cette zone, vous aurez tendance à éprouver de l'anxiété et de l'inquiétude.

La Loi du karma gouverne le premier centre d'énergie. Sur le plan physique, chaque action suscite une réaction correspondante. Pour maximiser la possibilité que vos actions génèrent des réactions favorables à l'évolution, vous pouvez utiliser votre corps comme un outil déterminant vos choix. Considérez vos possibilités et écoutez les signaux de votre corps. Ces sensations produites par le chakra racine sont soit plaisantes, soit déplaisantes.

Votre corps évalue chaque décision possible en fonction du besoin de sécurité ou du sentiment de menace que vous éprouvez. Le premier chakra vous relie à la terre et fournit une information essentielle sur les bienfaits ou la toxicité de vos actions. Il est essentiel de garder ce centre d'énergie ouvert et de laisser couler cette dernière afin de garantir l'abondance physique et émotionnelle.

Ce centre d'énergie est rouge ; on l'associe à l'élément terre et à l'odorat.

Le mantra ***Lam*** correspond au premier chakra.

Deuxième centre d'énergie :
le chakra de la créativité, (ou *Svādhisthana*)

On l'associe à toutes les formes de créativité. Il se situe dans la zone de vos organes sexuels et peut être utilisé pour la reproduction. Relié à des centres d'énergie spirituelle, il alimente la force créatrice utile quand il s'agit de peindre un beau tableau, d'écrire un roman, de jouer de la musique, de fonder une entreprise, de mener une vie fondée sur l'amour et l'abondance. La Loi du moindre effort opère dans le deuxième chakra. Quand l'énergie vitale coule à travers un chakra, active votre créativité, vous co-créez votre vie.

La solution d'un problème est rarement au niveau du problème lui-même, mais souvent dans un champ de créativité plus profond. Un individu créatif utilise les mêmes éléments de base que d'autres avant lui, mais il établit entre eux des contextes et des relations différentes. Lorsqu'un peintre conçoit un chef-d'œuvre, il combine les pigments de façon à obtenir une création unique. Quand un compositeur invente un nouveau morceau, il utilise les mêmes notes que d'autres mais dans une nouvelle relation mutuelle, inédite. Un roman crée un rapport neuf entre les lettres et les mots, permettant ainsi à une nouvelle histoire d'exister.

Quand vous êtes en harmonie avec votre créativité, les expressions qui émergent naissent sans efforts. Le deuxième chakra utilise le matériau de base du chakra racine pour recréer le monde chaque jour.

Le deuxième centre d'énergie correspond à la couleur orange. Il est associé avec l'eau et le goût.

Le mantra correspondant est ***Vam.***

Troisième centre d'énergie : le chakra de l'énergie (ou *Manipūra*)

Il se situe dans votre plexus solaire, siège de votre pouvoir dans ce monde. Quand ce centre est ouvert et laisse couler l'énergie, vous êtes capable de manifester vos intentions et vos désirs. Si ce chakra est bloqué, vous vous sentez frustré, impuissant.

Les graines des intentions et des désirs résident dans votre âme. Si votre intention est de nourrir et faire germer ces graines, celles-ci parviendront à leur pleine expression. La Loi de l'intention et du désir régit le troisième chakra. Formulez clairement vos intentions afin de ne pas être surpris quand elles porteront des fruits. Comment vos désirs sont-ils manifestés ? Ils passent dans le champ de la conscience que vous élargissez par la méditation ; vous libérez vos intentions pour vous détacher, enfin, du résultat final.

Vous pouvez contrôler vos actes, mais pas leurs conséquences. Laissez circuler librement l'énergie vitale à travers le troisième chakra : la lumière et la chaleur de vos intentions rayonneront sur le monde.

La couleur du troisième centre d'énergie est le jaune, associé au feu et à la vue.

Le mantra ***Ram*** rend opérationnel le troisième chakra.

Quatrième centre d'énergie : le chakra du cœur (ou *Anāhata*)

Il représente l'énergie unificatrice de l'amour et de la compassion. Le chakra du cœur sert à dépasser la séparation et la division. Quand ce centre d'énergie est bloqué, nous éprouvons un sentiment d'aliénation par rapport aux autres. S'il est ouvert et laisse couler l'énergie, nous nous sentons intimement connectés à tous les êtres.

La Loi du don régit le chakra du cœur. L'amour peut revêtir plusieurs formes selon les étapes de la vie. L'amour d'un enfant pour sa mère diffère de l'amour d'une mère pour son fils. L'amour d'un fils diffère de l'amour passionné d'un amant ou de celui d'un étudiant pour son professeur. Le point commun entre ces différentes expressions d'amour réside dans l'impulsion d'unifier – de dépasser la séparation. Telle est la nature du cœur.

La Loi du don, pour le quatrième chakra, nous apprend que le cœur fait circuler l'amour. La relation entre cœur physique et cœur émotionnel dépasse la simple métaphore. Des études ont montré que, chez des patients victimes d'infarctus, les hommes convaincus de l'amour de leur femme ont moins de complications et récupèrent mieux que ceux impliqués dans une relation conjugale conflictuelle. Les personnes persuadées de l'hostilité du monde courent le risque de mourir d'un infarctus plus tôt que celles considérant le monde comme un endroit qui les nourrit. Le simple fait qu'une infirmière s'enquière de la santé d'un patient hospitalisé dans une unité de soins coronariens peut amoindrir le risque d'une nouvelle hospitalisation.

Chaque fois que vous donnez, vous recevez. Dans votre vie, lorsque vous accueillez un don, vous fournissez à quelqu'un l'occasion de donner. De même qu'un cœur en bonne santé reçoit du sang du milieu qu'il oxygène et pompe ensuite, votre cœur émotionnel se maintient en bonne santé quand il reçoit et distribue l'amour sous plusieurs formes.

La couleur de la quatrième énergie est le vert. Si l'énergie coule, c'est le vert de la nourriture ; si elle se bloque, il devient le vert de la jalousie. On l'associe à l'élément air et au toucher.

Le mantra ***Yum*** éveille le quatrième chakra.

Cinquième centre d'énergie :
le chakra de l'expression (ou *Vishuddha*)

Le chakra de la gorge est le centre de l'expression. S'il est ouvert et que l'énergie passe, vous vous sentez capable de communiquer vos besoins. Quand il est obstrué, vous aurez l'impression de ne pas être écouté. Pour se sentir vivant et capable d'agir efficacement, ce chakra doit être dégagé. Les blocages d'énergie en ce point sont souvent associés à des problèmes de thyroïde ou à des douleurs chroniques dans le cou.

La Loi du détachement régit le chakra de la gorge. Un cinquième chakra ouvert vous permet d'exprimer votre vérité sans vous soucier d'être censuré ou critiqué. Cela ne signifie pas pour autant que vous allez intentionnellement blesser quelqu'un ou vous montrer insensible. Au contraire, les êtres humains dont les centres de communication sont ouverts ont un talent particulier pour exprimer leurs besoins d'une façon qui nourrit la vie. Nous n'éprouvons aucune inquiétude quant à la façon dont les autres réagiront à nos opinions quand l'énergie circule librement à travers le chakra de l'expression.

La Loi du détachement vous rappelle que vous pouvez choisir vos paroles et vos actions, mais que vous ne pouvez contrôler les réactions qu'elles déclenchent. Quand vos intentions sont clairement formulées et que votre cœur est ouvert, vous trouverez spontanément les mots adéquats. Vous aurez confiance en l'univers pour qu'il règle les détails.

La couleur du cinquième centre d'énergie est le bleu, associé à l'éther ou l'espace, ainsi qu'à l'ouïe.

Le mantra ***Hum*** aide à ouvrir ce chakra.

Sixième centre d'énergie :
le chakra de l'intuition (ou *Ājñā*)

Parfois, on l'appelle le « troisième œil ». Situé sur le front, c'est le centre de la perspicacité et de l'intuition. Lorsqu'il est ouvert, vous êtes profondément connecté à votre voix intérieure. Vous êtes guidé dans vos choix. S'il est bloqué, vous doutez et vous méfiez de vous-même.

On associe habituellement l'ouverture de ce chakra à une sensation claire de connexion à son propre dharma, son objectif existentiel.

La Loi du dharma ou de l'objectif existentiel régit le sixième chakra. La voix intérieure de la sagesse vous oriente et vous encourage à exprimer les aspects les plus spirituels de votre nature. Écoutez cette voix intérieure immobile qui vous aide à manifester la totalité de votre potentiel. Calmez le tumulte intérieur suscité par la voix des autres, afin d'identifier le son de votre propre âme. Celle-ci n'a qu'un seul désir : que vous vous rappeliez votre nature essentielle : vous êtes une étincelle divine.

La couleur du sixième centre d'énergie est l'indigo, associé à des perceptions extrasensorielles comme la clairvoyance, la clairaudience et la vision à distance. L'élément est un son intérieur, indépendant des vibrations extérieures.

Le mantra ***Sham*** éveille le sixième chakra.

Septième centre d'énergie : le chakra de la conscience (*ou Sahasrāra*)

On le visualise sous la forme d'une fleur de lotus au sommet du crâne. Quand le lotus déploie ses pétales, la mémoire de la complétude vous revient. Vous vous souvenez de votre nature essentielle illimitée. Vous êtes un esprit dans une enveloppe corporelle. Vous atteignez alors l'expression la plus développée du yoga, l'unification de l'être avec l'action, de l'universalité avec l'individualité.

La Loi de potentialité pure régit le septième chakra. Quand vos racines sont nourries par la terre, dans le premier chakra, votre créativité coule dans le deuxième, le pouvoir de vos intentions se renforce dans le troisième, votre cœur s'ouvre et échange de l'amour avec les membres de votre entourage dans le quatrième, vous exprimez spontanément votre moi supérieur dans le cinquième, vous êtes en contact avec votre voix intérieure dans le sixième, et, enfin, l'énergie pénètre dans le chakra couronne et vous vous rappelez votre nature essentielle, infinie et illimitée. La fleur de lotus aux mille pétales s'ouvre et vous vous considérez comme un être spirituel temporairement incarné et lié à un corps-esprit.

Lorsque vous reconnaissez l'universalité qui sous-tend votre individualité, vous accédez à la totalité de votre potentiel. Locale et restreinte, votre identité devient non locale et élargie. La peur et l'angoisse se dissipent parce que vous perdez votre attachement à des résultats particuliers. Vous avez pleinement confiance en l'univers qui œuvre de la façon la plus favorable à l'évolution.

La couleur du septième centre d'énergie est le violet, associé à la compassion qui fleurit lorsque vous comprenez que l'Autre est le reflet de vous-même. Vous ressentez une lumière intérieure. Elle rayonne. Elle naît de la flamme intérieure de la sagesse sacrée.

Le mantra ***Aum*** nourrit le septième chakra.

La méditation So Hum

Chaque technique de méditation apporte une contribution spirituelle et corporelle. Celles qui apaisent le mental permettent de percevoir l'espace silencieux qui sépare vos pensées. Elles contribuent à élargir la conscience, et à guérir le corps. Une technique très simple, efficace et facile à apprendre consiste à utiliser le souffle ainsi qu'un mantra de la respiration pour apaiser le mental et détendre le corps. Si vous n'avez pas la possibilité de suivre les cours de Méditation des Sons Primordiaux, la méditation So Hum décrite ci-après vous permettra de passer d'un état de conscience restreinte à un état de conscience élargie, et d'entrer en harmonie avec la Loi de potentialité pure.

Pratiquez cette technique entre 20 et 30 minutes, deux fois par jour. Si possible peu après le réveil et avant le dîner. Certaines personnes ont du mal à s'endormir si elles méditent avant de se coucher. Mais cet exercice aide généralement à se détacher de l'agitation mentale liée aux activités de la journée écoulée et à s'endormir plus facilement ensuite.

1) Asseyez-vous confortablement dans un endroit où vous ne serez pas dérangé. Fermez les yeux.

2) Pendant quelques minutes, observez simplement le déroulement de votre respiration.

3) Inspirez lentement et profondément par le nez en songeant au mot So.

4) Expirez lentement par le nez en pensant au mot Hum.

5) Laissez votre respiration s'écouler doucement, en répétant So et Hum à chaque inspiration et expiration.

6) Chaque fois que votre attention se fixe sur des pensées, des sons extérieurs, des sensations, concentrez-vous à nouveau, calmement, sur votre souffle en répétant en silence So Hum.

7) Poursuivez cet exercice pendant 20 à 30 minutes, sans faire d'efforts, en toute simplicité.

8) Lorsque le temps est écoulé, restez assis encore quelques minutes, les yeux fermés, avant de reprendre vos activités quotidiennes.

Les expériences de méditation

Même si vous avez connu des expériences relativement variées, il est possible de les classer en quelques catégories fondamentales.

1) La conscience du mantra

Votre répétition du mantra So Hum doit se dérouler sans forcer. Lorsque vous reproduisez ces sons en silence dans votre tête, inutile de les prononcer distinctement. Ayez une vague perception du mantra, comme une vibration, une impulsion ou une sonorité subtile. Écoutez le son de ce mantra plutôt que de vous sentir obligé de le psalmodier clairement. Chaque fois que le mantra semble changer de rythme, de vitesse ou de prononciation, laissez la transformation s'opérer sans contrôler le processus.

2) La conscience de la pensée

Les débutants se plaignent souvent que leur tête est encombrée d'idées fugitives. Les pensées forment une composante normale de la méditation et on ne peut se forcer à ne plus réfléchir. Pendant les exercices, votre mental quittera fréquemment le mantra pour dériver vers telle ou telle réflexion. Vous songerez à des événements du passé ou anticiperez ce qui risque de se passer à l'avenir. Vous serez distrait par des sensations corporelles ou des sons extérieurs.

Quand vous vous rendez compte que votre attention s'éloigne du mantra, concentrez-vous à nouveau en douceur sur l'exercice. Que vous songiez à votre repas de midi, à un film vu la veille, à un problème concernant votre travail ou à une profonde découverte cosmique, dès que vous vous mettez à penser, concentrez-vous calmement, posément, sur le mantra.

3) Le sommeil

Si votre corps est fatigué au moment où vous entamez votre méditation, peut-être vous endormirez-vous. Ne résistez pas à votre besoin de sommeil. La méditation offre à votre corps-esprit l'occasion de se rééquilibrer et, si celui-ci a besoin de repos, laissez-le se reposer. Lorsque vous vous réveillez, asseyez-vous et méditez, en utilisant votre mantra 10 minutes environ.

Si vous vous endormez pratiquement au cours de chaque exercice de méditation, vos nuits sont probablement trop courtes. Un sommeil détendu constitue un élément important d'un mode de vie équilibré. Faites vos exercices régulièrement, évitez les stimulants inutiles durant la journée, diminuez voire éliminez totalement la consommation d'alcool, surtout avant de vous mettre au lit. Essayez de vous coucher au plus tard à 22 heures.

4) La pure conscience

Lorsque votre esprit se calme pendant la méditation, l'absence de pensées se combine parfois avec une rétention de la conscience. Nous appelons cela « plonger dans l'abîme » ou le Samādhi. Il n'y a plus ni mantra ni pensées. L'esprit a temporairement abandonné son attachement au temps et à l'espace ; il est immergé dans le royaume éternel, infini, de la pure conscience. Si vous pratiquez régulièrement le Samādhi, la conscience élargie que vous apercevez lors de la méditation commence à imprégner votre vie en dehors de vos exercices de yoga. La détente que celle-ci vous procure s'étend à vos activités quotidiennes. Le yoga désire atteindre une conscience simultanément locale et non locale – un état où vous avez parfaitement conscience de l'unité tout en étant complètement engagé dans le monde des formes et des phénomènes.

Les Sept Lois Spirituelles opèrent toutes pendant la méditation. Le processus est régi par la Loi de potentialité pure qui emmène votre mental jusqu'au champ de tous les possibles, au-delà de la pensée. Le fait que l'activité mentale puisse s'arrêter et recommencer sans restriction résulte de la Loi du don. Ignorer le sens de vos pensées fugitives vous permet de transcender la Loi du karma. La Loi du moindre effort est le principe fondamental de la méditation puisque que le champ non localisé de la conscience est aussi le champ du moindre effort. On ne peut accéder de force à un état de conscience non localisée, au-delà de la pensée, du temps, de l'espace et de la causalité. Vous utilisez la Loi de l'intention et du désir en formulant l'intention d'abandonner le besoin de contrôler, de résister ou d'anticiper durant votre exercice de méditation. La Loi du détachement est essentielle : en effet, la seule façon de parvenir au champ de la conscience illimitée passe effectivement par le lâcher prise. Enfin, la Loi du dharma agit parce que, par nature, le mental est à l'affût des champs de béatitude et de sagesse qui s'agrandissent sans arrêt. C'est le dharma du mental que de croître pendant la méditation. Si vous vous abandonnez totalement et permettez à ce processus de se poursuivre en toute innocence, vous parviendrez à vous affranchir de la pensée. Vous apaiserez votre mental.

Méditation pour l'attention et l'intention

Au fur et à mesure que vous apprendrez à calmer le trouble de votre mental grâce aux ressources de la méditation, vous commencerez à soigner et transformer votre corps en vous servant de l'attention et de l'intention conscientes. Comme nous l'avons déjà dit, des yogis accomplis parviennent à réguler leurs fonctions physiologiques de base en employant des techniques intérieures centrées sur l'attention et l'intention. Vous pouvez apprendre à ralentir votre rythme cardiaque, élever la température de votre corps et influencer votre circulation. Essayez cet exercice de méditation très simple pour développer votre attention et votre intention : il vous convaincra du lien intime entre le mental et le corps.

Asseyez-vous confortablement, fermez les yeux, et inspirez lentement et profondément. Expirez progressivement, en essayant de vous débarrasser de toute tension. Pendant quelques minutes, pratiquez la méditation So Hum décrite auparavant, ou bien la Méditation des Sons Primordiaux si on vous l'a enseignée.

Concentrez-vous sur la zone de votre cœur. Pendant un petit moment, intéressez-vous seulement aux sensations de votre cœur puis, pendant quelques minutes, pensez à toutes les choses dont vous êtes reconnaissant, à tout ce pour quoi vous éprouvez de la gratitude – des êtres chers, l'amour que vous éprouvez, les expériences que vous avez vécues et les circonstances qui ont fait de vous la personne que vous êtes devenue.

Prenez le temps qu'il faut pour renoncer à tous les regrets, les sentiments d'hostilité ou de rancune que vous gardez en vous. Formulez simplement l'intention de libérer tous les sentiments toxiques qui ne nourrissent pas votre cœur.

Ensuite, en silence, comme pour un mantra, répétez trois fois « Qu'il en soit ainsi. » Formulez l'intention de vous abandonner à ce que vous imaginez ou croyez être l'intelligence sous-jacente de l'univers, que ce soit Dieu, la Nature, l'ordre cosmique ou n'importe quel autre concept.

Maintenant que votre attention est concentrée sur votre poitrine, essayez de percevoir le battement de votre cœur comme une sensation ou une vibration fine. Exprimez l'intention que vos battements de cœur ralentissent, lentement, très lentement, très très lentement.

Déplacez votre attention en direction de vos mains et devenez conscient du battement de votre cœur dans celles-ci. Exprimez l'intention d'accroître la circulation de votre sang et de les réchauffer.

Dirigez maintenant votre attention vers n'importe quelle partie de votre corps que vous croyez malade et sentez comment votre cœur palpite lentement dans cette zone. Si aucune zone de votre cœur n'a besoin d'une attention particulière, observez ses palpitations dans votre poitrine. En silence, toujours, comme un mantra, répétez trois fois : « Guérison et transformation ».

Au bout de quelques minutes, concentrez-vous sur votre souffle en observant comment il entre et sort de vos poumons. Quand vous êtes prêt, ouvrez lentement les yeux.

Le yoga de la méditation

Selon les Upanishad, « L'espace au sein du lotus de notre cœur est aussi vaste que l'espace infini qui l'entoure. » Depuis le jour de votre naissance, vous êtes appelé à explorer le monde extérieur. La méditation vous aide à explorer votre univers intime. Le yoga vous incite à vous familiariser avec le champ intérieur de vos pensées, des sentiments, des souvenirs, des désirs et de l'imagination, tandis que vous vivez dans le monde extérieur du temps, de l'espace et de la causalité. Lorsque vous passez en toute liberté, avec subtilité, du champ intérieur au champ extérieur de la vie et vice versa, vous atteignez l'objectif suprême du yoga.

6

Comment déplacer l'énergie *Bhandas* et *Prāṇāyama*

Pourquoi restez-vous en prison quand la porte de votre cellule est grande ouverte ?

Rumi

La respiration est l'essence de la vie. Vous inspirez pour la première fois peu après votre venue au monde, avant même que l'on coupe votre cordon ombilical. À partir de ce moment, vous inspirez environ dix-sept mille fois par jour, soit un total de 500 millions d'inspirations au cours d'une vie. Lorsque vous approchez la mort, vous expirez une dernière fois ; ce dernier souffle marque le terme de votre existence. Entre votre premier et dernier souffle, la respiration nourrit toutes vos expériences. La respiration est la vie.

Dans le yoga, la respiration est intimement associée au prāna, autrement dit à « l'impulsion primordiale ». Le prāna est :

la force vitale primordiale qui régit toutes les fonctions physiques et mentales ;

l'énergie vitale qui met en mouvement les molécules inertes et les transforme en des êtres biologiques qui évoluent et sont capables d'auto-guérison ;

le pouvoir créateur fondamental du cosmos.

Le yoga apprend à réguler le prāna pour calmer, équilibrer, purifier et tonifier le corps-esprit. La respiration intègre plusieurs couches de l'existence : milieu de vie, appareil respiratoire, système nerveux, mental et cellules du corps.

Réguler le souffle renforce le bien-être physique, émotionnel et spirituel. Une telle pratique donne la clé d'une vie saine, vibrante d'énergie.

Pour la plupart des êtres humains, la respiration évoque la seule fonction autonome nerveuse qu'ils peuvent influencer. En effet, la physiologie moderne divise le système nerveux en deux éléments principaux : le système nerveux somatique (« volontaire ») et le système nerveux autonome ou végétatif (« involontaire »).

Le système nerveux volontaire est actif quand vous tapez dans vos mains, agitez les bras ou utilisez les jambes pour marcher. Il active les muscles qui commandent vos paroles et les centaines d'expressions de votre visage chaque jour. Bien que la plupart de ces fonctions aient lieu, la plupart du temps, sans intentions conscientes, vous pouvez déclencher ou arrêter à volonté l'utilisation de ces groupes musculaires.

Le système nerveux autonome régit les fonctions corporelles élémentaires que vous n'avez pas l'habitude d'influencer consciemment. Y compris des fonctions physiologiques essentielles comme le pouls, la tension, la régulation de la température corporelle, le niveau des hormones, la transpiration et le trajet des aliments dans l'appareil intestinal. Le système nerveux autonome joue également un rôle important dans la régulation du système immunitaire. La science neurologique moderne suggère que la plupart des êtres humains sont incapables d'intervenir directement sur ces processus physiologiques de base. Ils fonctionneraient donc tout seuls, que vous vous intéressiez ou non à eux, ou que vous tentiez de les modifier. La plupart d'entre nous ignorent comment modifier tension, circulation, transpiration, ou fonctions digestives.

Les praticiens du yoga ont cependant découvert que, en pratiquant régulièrement certains exercices, nous pouvons apprendre à réduire volontairement la tension, ralentir le rythme cardiaque, diminuer la consommation d'oxygène, modifier la circulation du sang, et baisser le niveau des hormones associées au stress. Apprendre à influencer ces fonctions habituellement considérées comme automatiques demande bien sûr un autre entraînement que celui nécessaire pour pédaler ou taper dans un ballon, mais avec un peu de pratique, vous pourrez les maîtriser. Commencez par réguler votre respiration : cela vous aidera ensuite à influencer d'autres fonctions corporelles essentielles.

Laissée à elle-même, la respiration n'exige pas votre attention consciente pour consommer de l'oxygène ou éliminer du dioxyde de carbone. Et c'est une bonne chose. Jour et nuit, les centres de respiration au cœur du cerveau gèrent le niveau des gaz présents dans le corps et ajustent automatiquement le rythme et la profondeur de la respiration. Comme n'importe quel asthmatique peut en témoigner, il n'est pas du tout agréable de surveiller constamment sa respiration pour obtenir suffisamment d'oxygène.

Chaque être humain peut temporairement contourner le mécanisme de contrôle automatique de la respiration en accélérant, ralentissant ou retenant son souffle. Une altération consciente du processus respiratoire automatique influence profondément le mental et le corps et vous donne la possibilité d'influencer d'autres fonctions autonomes. Pendant que vous vous concentrez sur votre respiration, vous pouvez la modifier, mais, dès que ce contrôle prend fin, le système nerveux involontaire reprend son autorité.

Grâce aux exercices respiratoires (au *prānāyama*), vous pouvez utiliser la respiration pour influencer votre état mental et physique. Le yoga propose de nombreuses techniques faciles à maîtriser pour détendre ou tonifier le corps-esprit. Leurs effets sont rapides et puissants.

Les exercices respiratoires du yoga (le prānāyama)

Vous pouvez apprendre beaucoup de choses sur la vie en vous concentrant sur votre respiration. Pour commencer, inspirez profondément et conservez l'air dans vos poumons. Vous allez rapidement sentir un malaise qui va croître au fur et à mesure que vous résisterez à l'impulsion naturelle de libérer de l'air. Quand cela devient trop désagréable, expirez : le soulagement sera immédiat. Chaque fois que vous vous accrochez à quelque chose au lieu de le libérer, vous créez dans votre corps et votre mental un sentiment de détresse. Maintenant, inspirez profondément, remplissez vos poumons, et retenez votre respiration. Observez le malaise croissant qui se développe lorsque vous résistez à quelque chose qui entre dans votre vie et que vous êtes censé accepter. Notez votre soulagement lors de la prochaine inspiration.

Ingérer, absorber, libérer et éliminer – tels sont les fondements d'une vie saine et d'une respiration naturelle et équilibrée. Lorsque ces fonctions de base fonctionnement correctement, vous êtes capable d'absorber ce dont vous avez besoin et de vous débarrasser de l'inutile. Votre nourriture soutiendra votre vie et vous exclurez ce qui est toxique. Quand vous croquez une pomme, par exemple, vous ingérez un aliment potentiel, mais vous ne bénéficiez de son énergie et de ses informations que lorsque vous absorbez les nutriments essentiels dans votre intestin grêle. Chaque substance avalée contient des éléments inutiles, c'est pourquoi un système digestif sain évacue les restes non nourrissants dans le côlon. Pour garder la santé, il est indispensable d'éliminer régulièrement les résidus de sa digestion.

Les mêmes règles s'appliquent sur le plan émotionnel. Lorsque les êtres humains s'engagent dans des relations émotionnellement fortes, ils absorbent souvent plus d'informations et d'énergie émotionnelles qu'ils ne peuvent en digérer. Pour conserver une vie émotionnelle saine, nous devons trier entre les différents aspects d'une expérience : garder ceux qui nous nourrissent et libérer, éliminer ceux qui pourraient être toxiques si nous les conservions.

La Loi du don fonctionne constamment pendant les exercices respiratoires (prānāyama). Respirer consciemment implique de vous concentrer sur l'échange incessant entre votre corps personnel et le corps élargi de votre environnement. À chaque inspiration, vous échangez dix milliards de trillions d'atomes avec le milieu qui vous entoure. Les atomes que vous inhalez chaque jour ont traversé les corps d'êtres vivants dans l'univers et à travers le temps. À l'intérieur de vous, en ce moment, résident des atomes de carbone ayant un jour habité le corps d'un guépard en Afrique, d'un dauphin dans le Pacifique Sud, d'un palmier à Tahiti ou d'un Aborigène australien. Si l'on pousse l'analyse, chaque particule de votre corps a autrefois été une poussière d'étoile, créée à l'aube de l'univers. Votre respiration témoigne constamment de la Loi du don.

La respiration consciente exprime aussi la Loi du moindre effort et la Loi du dharma. Dans un corps sain, le souffle est un processus souple, sans effort, qui ralentit ou accélère automatiquement, devient plus profond ou plus léger chaque fois que votre corps émet le moindre besoin d'énergie. L'oxygène que vous inhalez nourrit l'objectif (le dharma) de chaque cellule, permettant à chacune d'exercer son talent unique tout en servant la totalité de votre système physiologique.

Tant sur le plan physique que sur le plan émotionnel, le prānāyama nettoie les canaux qui vous permettent d'échanger sans effort votre énergie personnelle avec celle de l'univers. Lorsqu'elle est consciemment dirigée, votre énergie vitale se met au service de la créativité, des soins et de la guérison. Les exercices respiratoires servent à canaliser la force vitale conformément à l'évolution, afin d'atteindre des niveaux supérieurs de bien-être physique et émotionnel.

Bhastrika – La respiration du ventre

Quand une grande quantité d'énergie traverse votre corps, vous avez tendance à respirer plus vigoureusement. Spontanément, vous déplacez plus d'air lorsque vous faites de l'exercice ou que vous dansez parce que votre corps exige une plus grande quantité d'oxygène pour subvenir à vos besoins énergétiques. De même qu'une action revigorante accroît l'amplitude de votre respiration, vous pouvez approfondir consciemment votre respiration, ce qui mettra à la disposition de votre corps une plus grande quantité d'énergie.

Le Bhastrika, ou « respiration du ventre » est l'un des exercices yogiques de respiration les plus efficaces. Il s'agit d'obtenir un souffle à la fois énergisant et purificateur. Bien que cette technique soit généralement sans danger, il est important de rester en contact avec son corps pendant l'exercice. Si, à n'importe quel moment, vous éprouvez un malaise, un étourdissement, interrompez le Bhastrika quelques instants, puis recommencez de façon moins intense.

Détendez vos épaules et pratiquez lentement la respiration abdominale. Après quelques inspirations profondes, videz totalement vos poumons, puis expirez et inspirez avec le nez, à fond et énergiquement, plusieurs fois de suite, à raison d'une seconde par cycle. Le mou-

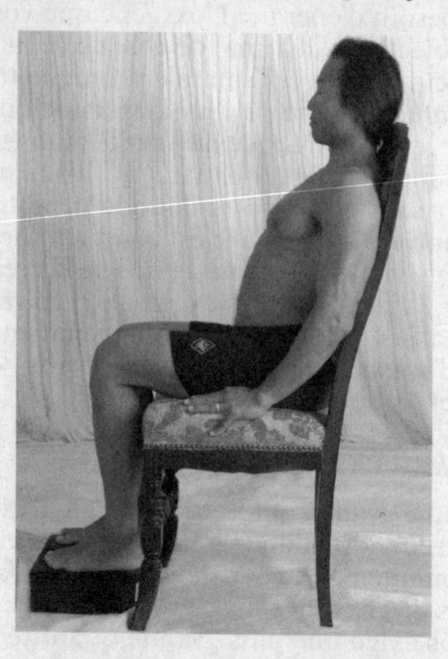

vement complet de respiration doit provenir de votre diaphragme.Gardez la tête, le cou, les épaules et la poitrine relativement stables tandis que votre ventre se contracte et se détend.

Commencez par une série de dix respirations Bhastrika et revenez à un souffle normal. Observez vos sensations. Attendez entre 15 et 30 secondes, puis entamez une série de 20 respirations. Si vous avez une sensation de vertige ou un picotement dans les doigts ou autour de la bouche, interrompez votre respiration profonde. Examinez comment vous revenez à une respiration normale et calme jusqu'à ce que ces sensations disparaissent complètement. Puis recommencez l'exercice.

Au bout de 30 secondes, effectuez une troisième série de 30 respirations. En cas de vertige, arrêtez votre exercice. Après la troisième série, focalisez-vous sur vos sensations internes. Cet exercice procure généralement de l'énergie et de la force à ceux qui le pratiquent.

Si vous vous sentez apathique dès le matin, faites une série de mouvements de respiration Bhastrika et vous

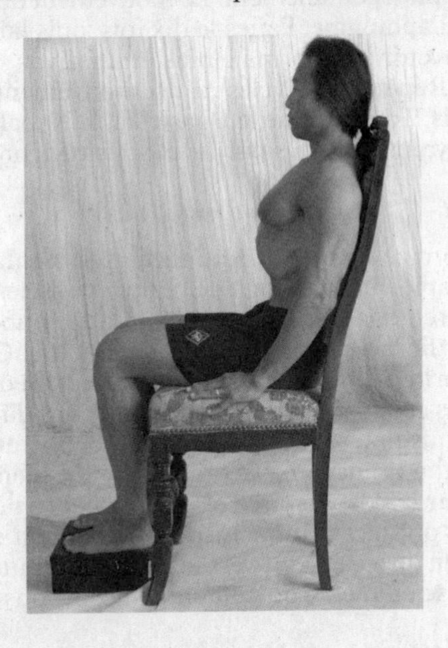

verrez les nuages s'éloigner de votre corps et de votre mental. Vous pouvez aussi effectuer cet exercice pendant la journée, quelques minutes, au cas où vous vous sentiez somnolent ou léthargique. Si vous essayez de perdre du poids, la pratique pluriquotidienne du Bhastrika augmentera votre pouvoir digestif et aidera votre métabolisme à brûler plus intensément des calories. Il n'est généralement pas recommandé de se livrer à cet exercice avant de vous coucher car vous risquez de vous endormir difficilement. En effet, si le bhastrika dégage l'esprit, il renforce l'énergie.

Kapalhabhati – *La respiration qui rayonne*

Cette technique constitue une variation de la respiration par le ventre : elle consiste à alterner expirations forcées et inspirations passives. Asseyez-vous confortablement, la colonne vertébrale bien droite ; expulsez vigoureusement tout l'air de vos poumons, puis laissez-les se remplir spontanément. Le mouvement de base part de votre diaphragme. Faites-le dix fois, puis laissez votre souffle revenir à la normale puis étudiez vos sensations internes. Répétez ces cycles de dix mouvements trois ou quatre fois. Tout comme le Bhastrika, le Kapalabhati est un prānāyama qui vous purifie et vous revigore.

Dirgha – *La respiration complète*

Cet exercice nettoie et équilibre : ses bienfaits apparaissent rapidement. Il s'agit de remplir consciemment les trois différentes zones des poumons : la zone abdominale, la région thoracique puis la zone supérieure. Cette technique exprime bien la Loi de l'intention et du désir. Rien qu'en vous concentrant sur l'endroit où vous dirigez votre souffle, vous noterez un effet relaxant et libératoire.

Le Dirgha Prānāyama se pratique assis, bien droit, ou couché sur le dos. Inspirez et expirez par le nez.

Pour le premier souffle, inspirez lentement et profondément, en dirigeant l'air vers la zone abdominale en utilisant consciemment votre diaphragme. Si vous pratiquez l'exercice correctement, votre ventre doit gonfler comme celui d'une femme enceinte aux premiers mois de sa grossesse. Pendant que vous expirez, dégonflez votre ventre comme si l'air s'échappait d'un ballon. Recommencez plusieurs fois, en attirant l'air vers la zone abdominale, tout en maintenant une respiration douce et rythmée.

Une fois que vous maîtrisez cette première étape, essayez d'amener de l'air dans la zone thoracique. Remplissez d'abord la zone abdominale comme auparavant, puis dirigez votre souffle vers la zone médiane en ouvrant votre cage thoracique. Vous sentirez que vos côtes se déploient entre votre diaphragme et vos seins. Inspirez et expirez plusieurs fois, en remplissant à la fois la zone inférieure et médiane de vos poumons.

Pour finir, attirez de l'air dans la partie inférieure et médiane de vos poumons, puis remplissez la partie supérieure en inspirant vers votre clavicule. Pratiquez la respiration complète afin que vos inspirations et expirations s'enchaînent doucement, régulièrement, en série, en vous concentrant successivement sur votre diaphragme, vos côtes et votre clavicule. Visualisez comment cette respiration profonde, consciente, alimente les organes, les tissus et les cellules, et leur permet de remplir leurs fonctions vitales sans effort et en accord avec leur dharma.

Ujjayi *– La respiration du succès*

Cette technique peut apaiser votre mental et votre corps quand vous vous sentez en colère, frustré ou énervé. Bien que les origines de ce mot ne soient pas claires, on le traduit souvent par « qui conduit vers le succès ». Cette respiration vous permet de rester concentré sans générer de friction mentale inutile. Ujjayi rafraîchit le fond de la gorge et équilibre le système cardiorespiratoire.

Inspirez de façon légèrement plus profonde que d'habitude. En expirant, contractez légèrement les muscles de la gorge afin d'émettre, en expulsant l'air, un son proche du ronflement. Vous gardez la bouche fermée : l'air sort ainsi par votre nez. Vous émettrez un bruit qui vous rappellera Dark Vador dans *La Guerre des étoiles*.

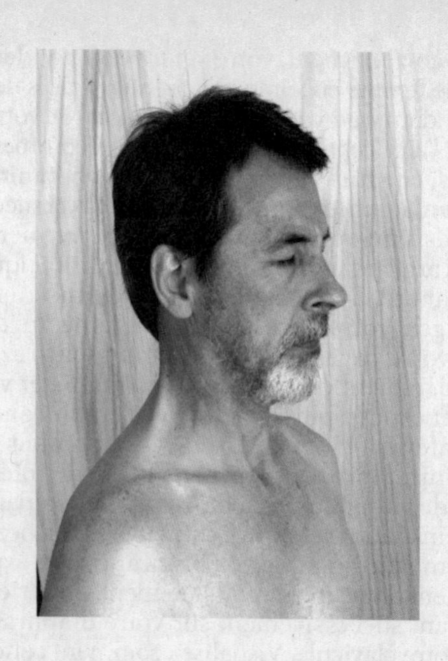

Autre moyen pour maîtriser cette pratique : expirez en faisant « Aaah », la bouche ouverte. Ensuite, expirez en effectuant le même mouvement, cette fois la bouche fermée, en dirigeant la sortie de l'air vers les narines. Vous devriez produire un son identique au ronflement. Une fois que vous avez maîtrisé l'expiration, passez à l'inspiration. Contractez légèrement la gorge en inspirant.

Essayez la respiration Ujjayi chaque fois que vous vous êtes rongé par la colère ou l'inquiétude. Vous remarquerez rapidement un certain apaisement. Ujjayi calme le corps tout en aidant le mental à se concentrer. Nous recommandons d'effectuer cet exercice pendant vos postures de yoga : il vous aidera à maintenir votre concentration quand vous passez d'une pose à l'autre.

L'Ujjayi peut également servir pendant un exercice d'aérobic. Les athlètes de niveau olympique ont introduit l'Ujjayi dans leur entraînement quotidien pour augmenter leur efficacité respiratoire. Essayez l'Ujjayi quand vous effectuez un exercice cardiovasculaire : vous noterez que cet exercice de respiration réduit les efforts physiques.

***Nādi Shodhana** – La respiration pour nettoyer les canaux d'énergie*

Ce mouvement, appelé parfois « respiration alternée par les narines », vise à dégager les canaux d'énergie. Il a un effet calmant et réduit la « surchauffe » mentale associée à l'angoisse et l'insomnie. Dans le Nadi Shodhana, vous utilisez la main droite pour contrôler le flux de votre respiration à travers les narines. Vous posez le pouce sur la narine droite tandis que votre troisième et quatrième doigts se placent sur la narine gauche.

Il existe différents styles de *Nadi Shodana*, mais tous régulent le débit de l'air à travers le nez. La façon et le moment d'altérer la respiration diffèrent. La procédure la plus simple consiste à boucher alternativement

chaque narine à la fin de chaque inspiration. Inspirez à fond, puis fermez la narine droite avec le pouce, en exhalant par la narine gauche. Inspirez doucement par la narine gauche puis, au bout de quelques instants, fermez la narine gauche avec le majeur et l'annulaire de la main droite, en expirant par la narine droite. Après avoir complètement chassé l'air de vos poumons, inspirez par la narine droite, en la bouchant avec le pouce lorsque vous avez inspiré suffisamment. Votre respiration doit s'effectuer sans effort, et votre mental se contenter d'observer le processus.

Continuez le Nadi Shodhana pendant quelques instants en respectant la succession des mouvements : inspirez par la narine gauche, expirez par la narine droite ; inspirez par la narine gauche, expirez par la narine droite, etc.

Nadi Shodhana détend le corps et le mental. Il apaise votre mental avant de commencer une méditation avec des mantras, ou bien lorsque les idées qui tournent dans votre tête vous empêchent de dormir. En adoucissant la respiration, vous invoquez un état de quiétude, de conscience intérieure.

La respiration durant la journée

Apprenez à être conscient de votre respiration pendant vos activités quotidiennes. Si vous vous sentez tendu ou stressé, effectuez quelques profonds mouvements de respiration abdominale par le nez et notez comment tout votre corps se détend. Pratiquez la respiration Ujjayi quand vous marchez ou faites de l'exercice. Observez comment cela vous aide à vous recentrer. Utilisez la respiration Dirgha quand vous êtes soumis à des pressions ou des tensions, afin de faire circuler la force vitale dans votre corps. Soyez conscient de votre respiration, et votre conscience restera centrée au milieu de n'importe quelle agitation. Tel est l'apport du prānāyama pour le yoga.

Les Bandhas *– Ouvrez les bras à votre énergie vitale*

Bandha signifie « tenir, enfermer ou embrasser ». Ces pratiques puissantes vous exercent à diriger le prāna (l'énergie vitale) vers différents centres du corps. Les bhandas démontrent l'efficacité de la Loi du dharma car votre corps réagit immédiatement aux mouvements précis que vous effectuez.

Tous les bandhas ont un principe fondamental commun : accumuler d'abord de l'énergie dans une zone du corps pour ensuite la libérer. Cette accumulation-libération de force vitale dégage tous les obstacles qui pourraient nuire à la circulation de l'énergie. Comme la médecine traditionnelle chinoise, le yoga considère le corps-esprit comme un réseau de canaux énergétiques (les *srotas* et les *nādīs*) à travers lesquels s'écoule la force vitale. Les *srotas* sont les voies de circulation du corps physique et les *nādīs* les canaux du corps subtil. La santé et la vitalité dépendent de l'énergie vitale qui y circule librement.

Jalandhara Bandha – *La contraction du menton*

Asseyez-vous confortablement, les jambes croisées devant vous. Inspirez profondément. Pendant que vous expirez, amenez votre menton contre votre poitrine. Tout en l'appuyant contre votre thorax, inspirez en contractant la gorge de telle sorte que l'air ne bouge pas mais que votre poitrine se soulève. Gardez cette position pendant 10 secondes puis relevez la tête et inspirez normalement.

Le mot *jalandhara* vient de *jala* (réseau) et *dhara* (flot vers le haut). Cette respiration stimule le réseau de nerfs et de canaux d'énergie situés dans la gorge. Lorsque l'énergie stagne dans cette région, cela provoque des douleurs chroniques dans le cou, des enrouements et des déséquilibres de la thyroïde. On l'utilise traditionnellement pour renforcer la thyroïde, soigner une raideur du cou et accroître la clarté mentale.

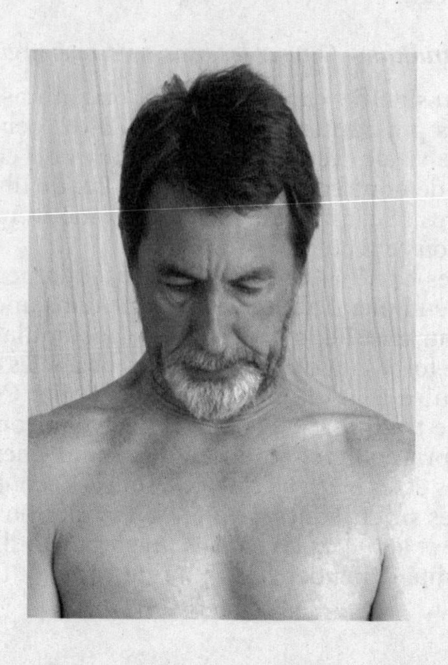

Uddiyana Bandha *– La contraction de l'abdomen*

Asseyez-vous confortablement, la colonne vertébrale bien droite. Placez vos mains de chaque côté du corps ou sur les cuisses, et penchez-vous légèrement en avant. Inspirez profondément, en remplissant vos poumons au maximum, puis expirez complètement. Au lieu d'inspirer de nouveau, soulevez l'abdomen afin de créer un creux sous le diaphragme. Tenez cette position 10 secondes environ, relâchez puis inspirez normalement. Répétez cet exercice sept fois.

Ce bandha active le chakra du plexus solaire qui régit la digestion et la capacité de manifester vos désirs. Les blocages dans cette région sont associés à des troubles digestifs et des déséquilibres métaboliques. Développer la capacité de réguler l'énergie dans cette région du corps vous assure l'accès à votre feu digestif central. Quand votre feu intérieur brûle correctement, vous pouvez extraire de votre environnement immédiat la nour-

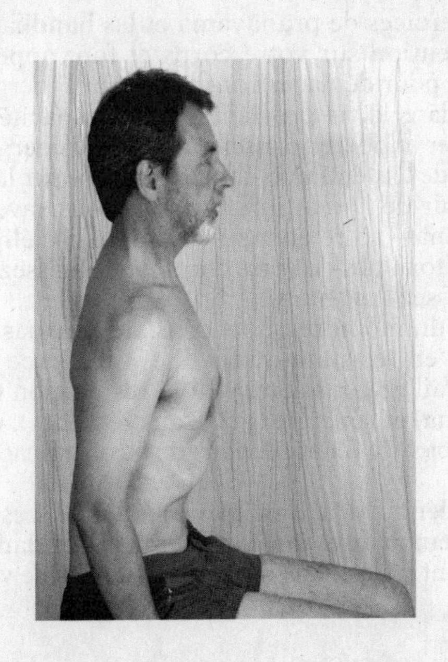

riture dont vous avez besoin et éliminer les toxines qui gênent la circulation ou l'énergie dans votre corps-esprit.

Moola Bandha – *La contraction de la base*

Asseyez-vous, jambes croisées, amenez le talon droit aussi près que possible de l'aine. Les yeux fermés, commencez à contracter les sphincters de l'anus. Imaginez, pendant ce mouvement, que vous soulevez votre rectum vers l'abdomen. Tenez cette position pendant 10 secondes, puis relâchez lentement pendant que vous expirez. Répétez l'exercice 10 fois.

Moola signifie « racine, base ». La chakra racine est la source de toute l'énergie corporelle. Apprendre à réguler le prāna dans cette région vous permettra de diriger consciemment vos forces créatrices vers l'accomplissement de vos désirs. Ce bandha contribue à soigner une série de problèmes de santé, y compris les hémorroïdes, l'incontinence urinaire et les problèmes sexuels.

Les exercices de prānāyama et les bandhas attirent votre attention sur votre corps et font appel à votre intention pour déplacer consciemment l'énergie. Toute réussite dans la vie provient de cette capacité à acquérir, stocker et libérer consciemment de l'énergie.

La Loi de l'intention et du désir repose sur la maîtrise du pouvoir de l'intention. Lorsque vous savez diriger votre prāna – votre énergie vitale – afin d'éliminer les éléments toxiques de votre corps, vous agissez moins et accomplissez davantage.

La Loi du moindre effort consiste à ne pas gaspiller d'énergie en résistant au flux de votre force vitale. Si vous travaillez consciemment la respiration (grâce au prānāyama) et l'énergie (grâce aux bandhas), vous gouvernerez bientôt l'énergie vitale de façon efficace et effective.

Travailler le yoga, c'est travailler la vie. Les connaissances élémentaires que vous apprendrez dans ce livre vous seront utiles dans tous les domaines de votre existence.

TROISIEME PARTIE

La pratique du yoga

7

La conscience en mouvement : Les *āsanas* du yoga

Votre corps est précieux. C'est le véhicule de l'éveil. Traitez-le avec soin.

Siddhartha Gautama

Tout en lisant cette page, reportez votre attention sur votre corps. Sans bouger, notez votre posture. Comment êtes-vous assis ? Croisez-vous les jambes ? Êtes-vous dans une position confortable ? Éprouvez-vous une gêne ou une douleur dans une partie du corps ? Lorsque l'on modifie sa posture, après avoir pris conscience de son corps, pour augmenter son niveau de confort, on applique une des leçons essentielles du yoga. Le cycle positif se clôt lorsque le changement de position aboutit à une modification spontanée de la conscience.

Le yoga est bénéfique pour le mental comme pour le corps. Tout programme équilibré de remise en forme repose sur trois éléments essentiels : la souplesse, la force et le conditionnement cardiovasculaire. Le yoga fournit directement les deux premiers et peut accroître le troisième. Des études scientifiques sur les bienfaits du yoga pour la santé ont montré qu'il peut jouer un rôle positif dans de nombreux cas : hypertension, asthme, dépression, arthrite, maladies cardiaques, épilepsie, cancer, etc.

Dans le programme des Sept Lois Spirituelles du Yoga, nous avons choisi des postures qui accroissent la souplesse, fortifient les muscles et améliorent l'équilibre. Chacune des Sept Lois Spirituelles influence le yoga, tandis que celui-ci éveille la connaissance de ces lois. Que vous soyez débutant ou praticien expérimenté, ce programme tonifiera votre corps, tout en vous amenant à un état de conscience élargi.

Les postures qui favorisent la conscience du corps

Nous allons commencer par les positions dont le principal objectif est d'éveiller votre conscience du corps. *Āsana* signifie « siège », donc position. Ce terme désigne une position assumée. Le yoga enseigne à choisir volontairement la façon dont on se tient. Et cela concerne non seulement les positions physiques, mais aussi tous les choix adoptés dans la vie. Le yoga vous aide à prendre plus consciemment des décisions dont vous attendez des conséquences heureuses.

En tant qu'être humain, vous avez construit un mécanisme bien enraciné en vous pour évaluer vos choix existentiels : lorsque vous envisagez différentes options, vous écoutez les signaux de plaisir ou de déplaisir engendrés par votre corps. C'est l'essence de la Loi du karma qui puise dans la conscience du corps pour effectuer des choix corrects sur le plan karmique. Il est donc essentiel que vous appreniez à faire confiance à ces messages physiques.

Le yoga contribue à accroître l'intégration corps-esprit de deux façons.

– Tout d'abord, ses postures vous permettent d'être plus sensible aux signes que votre corps vous envoie et par conséquent, de les interpréter de manière plus adéquate. Souvent, les gens se concentrent tellement sur leur mental qu'ils perdent conscience de leur corps. Celui-ci envoie des signes pour indiquer ses besoins, mais le mental, trop préoccupé, ne les remarque pas. Le yoga vous permet, en quelque sorte, de réduire le « bruit de fond » mental afin de mieux prêter attention aux messages physiques.

– Le yoga accroît aussi le niveau de confort physique et émotionnel. Plongé dans un état de malaise chronique, un corps ne peut constituer un instrument fiable d'évaluation des choix. Quand nous l'utilisons pour prendre des décisions, d'infimes sensations de confort ou d'inconfort nous orientent vers le bon choix. Par conséquent, si votre état général est insatisfaisant, vous ne remarquerez pas les imperceptibles changements physiques qui s'opèrent lorsque vous passez en revue plusieurs options. Pour pratiquer le yoga de façon efficace, il faut donc commencer par éliminer les obstacles à une circulation saine de l'énergie vitale.

Les postures favorisant la prise de conscience corporelle sont accessibles à tous, quel que soit leur niveau dans le yoga. Rappelez-vous : le yoga n'est pas un sport de compétition. Il a pour but d'accroître la connexion entre le corps, le mental et l'esprit. La perfection d'une posture compte beaucoup moins que la progression vers l'intégration corps-esprit. Restez très attentif durant l'enchaînement des poses. Passez de l'une à l'autre en douceur et tenez compte des résistances physiques éventuelles.

***Pavanamuktasana** – La posture pour libérer les gaz*

Étendez-vous sur le dos : vous donnez l'occasion à votre conscience de flotter à travers votre corps. Si vous constatez une tension dans cette position de repos, formulez l'intention de la libérer. Inspirez à fond, puis amenez le genou droit contre votre poitrine. Attrapez votre jambe sous le genou avec les deux mains et amenez doucement votre menton jusqu'à lui. Conservez cette position quelque temps, en respirant doucement et en observant vos sensations physiques. Après plusieurs inspirations et expirations, redressez lentement la jambe et reposez-la sur le sol en expirant.

Répétez la pose avec le genou gauche, en le pliant contre votre poitrine pendant que vous inspirez, tout en élevant le menton jusqu'à votre genou. Inspirez lentement quelques instants, puis baissez lentement la tête et ramenez la jambe sur le sol tout en expirant.

Tout en inspirant, élevez les deux genoux jusqu'à la poitrine en attrapant vos jambes avec les mains entrecroisées. Tenez la position quelques secondes ; inspirez et expirez doucement en surveillant vos sensations au niveau de la colonne vertébrale.

Tenez maintenant vos deux jambes en plaçant les mains sous les genoux. Balancez-vous d'avant en arrière, trois ou quatre fois, puis de droite à gauche, plusieurs fois.

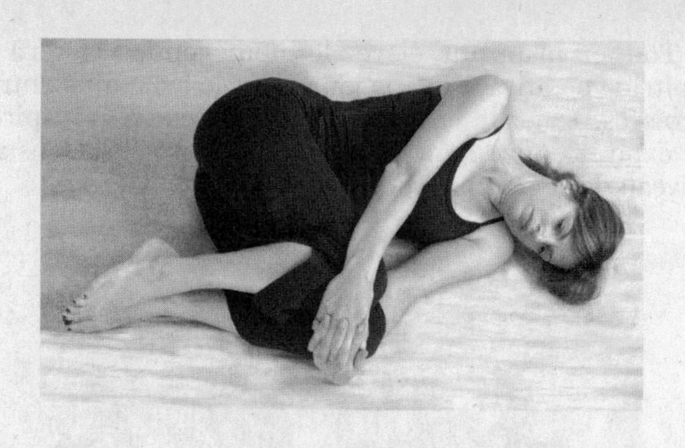

En revenant sur le dos, commencez à pédaler doucement en l'air. Placez les mains sur le côté, tendez d'abord une jambe puis l'autre. Inspirez puis expirez en rythme chaque fois que vous tendez la jambe. Au bout de trente secondes, reposez les jambes sur le sol.

Ces poses sont utiles pour débuter car elles commencent à mobiliser l'énergie corporelle. Selon l'Ayurveda, science védique indissociable du yoga, les gaz vitaux du corps, que l'on range sous l'appellation collective de *vāyu*, sont à la base de tout mouvement. Le *vāyu* régit les mouvements de la pensée, de l'air, des muscles, du sang et de l'élimination. Au niveau cellulaire, le *vāyu* régule le mouvement des molécules d'ADN, des protéines et des hormones. Lorsque le *vāyu* fonctionne harmonieusement, nous sommes en bonne santé.

Le *vāyu* a une légèreté naturelle, qui le pousse spontanément à se déplacer vers le haut. Quand le vāyu s'interrompt, à cause du stress par exemple, cela gêne son travail consistant à éliminer puis expulser les toxines. Si la fonction éliminatoire du vāyu est perturbée, l'énergie stagne et la toxicité subtile s'accumule. Les positions servant à libérer des gaz ramènent le vāyu à son emplacement adéquat, dans le pelvis, afin qu'il reprenne sa fonction essentielle : faire descendre les toxines pour les expulser.

Sarvangasana *– Posture sur les épaules*

Pendant que vous êtes étendu, les mains le long du corps, levez lentement les jambes jusqu'à ce qu'elles soient perpendiculaires au sol. Faites doucement passer votre poids sur les épaules et le haut du dos en élevant les hanches que vous soutiendrez avec les deux mains. Gardez les bras et les coudes au sol. Le dos du crâne et le cou restent en contact avec la terre. Trouvez un point d'équilibre suffisamment confortable pour vous détendre. Dans cette position, inspirez et expirez lentement et profondément.

Halasana – *Posture de la charrue*

À partir de la posture précédente, basculez lentement les jambes au-dessus de votre tête et derrière elle, de façon à toucher le sol avec les orteils. Si vous n'y arrivez pas, abaissez les jambes au maximum. Placez vos bras le long du corps, en respirant doucement, et notez la sensation d'étirement dans vos vertèbres et vos cuisses. Concentrez-vous sur votre respiration et pratiquez le prānāyama Ujjayi dans ces postures. Inspirez et expirez bruyamment en contractant légèrement les muscles de la gorge.

Alternez lentement la posture sur les épaules avec la posture de la charrue, trois ou quatre fois. Ces deux poses bénéfiques massent les organes des viscères et tonifient la thyroïde.

Ramenez lentement les deux jambes sur le sol. Installez-vous confortablement sur le dos. Observez votre respiration et vos sensations physiques.

La posture sur les épaules et la posture de la charrue font monter et descendre l'énergie le long de la colonne vertébrale. La première fois que vous essayez la posture sur les épaules, vous découvrirez peut-être que votre centre de gravité se loge dans vos hanches et vos fesses, et que vous avez du mal à garder les jambes au-dessus de la tête. Si vous vous entraînez régulièrement, vous arriverez de mieux en mieux à faire passer vos jambes au-dessus de la tête ainsi qu'à garder l'équilibre sans effort. Au départ, il est possible que vous ayez du mal à vous courber suffisamment pour que vos orteils touchent le sol. Si vous alternez pendant plusieurs jours de suite la posture sur les épaules avec la posture de la charrue, il vous sera plus facile de tirer pleinement profit de ces deux poses.

Bhujangasana – *Posture du cobra*

De la position étendue sur le dos passez à la position couchée sur le ventre. Rassemblez vos jambes et vos pieds en pointant légèrement les orteils vers le plafond. Posez les paumes à la hauteur des épaules pour prendre appui sur elles ensuite. Tout en inspirant lentement, commencez à lever les yeux. Relevez la tête, puis détachez la poitrine du sol. Autant que possible, utilisez les muscles de la colonne plutôt que les bras pour vous soulever. La partie inférieure de votre abdomen doit rester en contact avec le sol. Inspirez lorsque vous levez la tête et le torse ; expirez quand vous revenez au sol. Répétez cet exercice plusieurs fois, puis détendez-vous en restant couché sur le ventre.

Salabhasana – *Posture de la sauterelle*

De la position couchée sur le ventre, roulez sur le côté. Tendez les bras en rapprochant les paumes que vous placerez sous l'aine. Roulez sur le ventre en gardant vos bras sous le thorax et l'abdomen. Inspirez en levant la jambe droite. Tenez quelques secondes puis abaissez la jambe en expirant. Répétez le même mouvement avec la jambe gauche. Si vous arrivez à faire cet exercice facilement, levez les deux jambes en même temps, en serrant les genoux. Levez les jambes en inspirant, tenez la position quelques secondes, puis reposez-les.

Dhanurasana – *Posture de l'arc*

Vous êtes couché sur le ventre, le front contre le sol. Soyez à l'écoute de votre corps, respirez doucement. Tout en inspirant lentement et profondément, tendez les bras derrière vous pour attraper vos deux chevilles avec les mains. Levez la tête et détachez le thorax du sol tout en attirant vos chevilles vers la tête. Détachez du sol coudes et cuisses et regardez vers le haut. Tenez cette position pendant plusieurs respirations profondes, puis, en expirant, abaissez graduellement les jambes et la poitrine.

Les trois postures précédentes (du cobra, de la sauterelle et de l'arc) étirent votre colonne en vue d'augmenter la force et la flexibilité de votre dos. La vie moderne a tendance à contracter la colonne car nous passons de longs moments assis au travail, dans notre voiture ou durant les voyages en train ou en avion. À cause de cette contraction régulière des muscles et des nerfs, la respiration devient superficielle. Une angoisse insidieuse s'installe. En étirant consciemment la colonne vertébrale, vous contrebalancez l'effet produit par des flexions répétées, ce qui a un effet notable sur le bien-être physique et émotionnel.

Ces postures améliorent la santé de la colonne. Celle-ci est composée de vertèbres séparées par des disques qui amortissent les chocs. Lorsqu'une posture étire la colonne, la pression s'exerce sur la partie postérieure des vertèbres, ce qui pousse les disques en avant, vers leur position normale et saine. Ces positions renforcent les muscles placés le long de la colonne, de sorte que les disques portent aussitôt moins de poids. Les postures du cobra, de la sauterelle et de l'arc aident à normaliser l'anatomie et à réduire certains maux de dos.

Janu Sirsasana – *Posture de la tête au genou*

Roulez sur le dos pour vous détendre puis asseyez-vous, jambes allongées. Pliez le genou droit et attirez le pied droit vers l'aine. Levez les deux mains au-dessus de la tête, expirez en vous penchant lentement en avant. Tendez le bras pour attraper la cheville ou le pied gauche. Si vous n'y arrivez pas, attrapez votre jambe aussi loin que possible, sans que ce soit douloureux. Dans cette position, utilisez votre souffle pour vous abandonner davantage à cette posture, en prenant soin de formuler l'intention de vous détendre lors de chaque expiration. Tenez cette position quelques secondes en respirant profondément, puis revenez lentement à la pose initiale.

Répétez la position en pliant le genou gauche. Penchez-vous pour attraper la cheville ou le pied droit. Vérifiez votre point de résistance, puis formulez l'intention de vous abandonner à cette posture, en utilisant la respiration pour vous livrer plus intensément à cette pose. Écoutez les informations que votre corps envoie.

Cette position permet d'étirer les tendons. En ouvrant ces muscles le temps de l'exercice, votre démarche sera plus fluide.

Padmāsana – *Position du Lotus*

Croisez les deux jambes en posant la cheville droite sur la cuisse gauche. Si vous en êtes capable, amenez la cheville gauche sur la cuisse droite, et prenez une position de lotus complet. Si vous manquez de souplesse dans les hanches et les jambes pour obtenir un lotus complet, restez en demi-lotus, la cheville gauche sous la cuisse droite.

Maintenant, penchez-vous jusqu'à ce que le bas de votre abdomen repose sur vos cuisses. Détendez-vous dans cette pose en inspirant et expirant profondément plusieurs fois. Accrochez les mains l'une à l'autre derrière vous et levez lentement les bras vers le ciel. Tenez cette position dix secondes en respirant profondément, puis baissez les bras et revenez lentement à une position assise.

La position classique du lotus ouvre le pelvis et les hanches. Se pencher en avant dans cette position intensifie l'étirement des muscles dans les hanches et l'aine. Essayez de changer la jambe qui est sur le dessus ; peu à peu, vous vous pencherez en avant plus facilement.

***Uttpluthi** – Posture pour se soulever*

Restez encore assis, jambes croisées, dans un lotus complet ou un demi-lotus. Placez les mains à plat sur le sol, de chaque côté des cuisses. Soulevez tout votre corps du sol et tenez la position dix secondes. Revenez lentement à terre.

Cette position exige une certaine force dans la partie supérieure du corps. Pour commencer, vous aurez peut-être du mal à soulever tout votre corps. Si c'est le cas, laissez les genoux sur le sol pendant que vous levez les fesses. Maintenez une pose bien droite, cherchez le point

d'équilibre jusqu'à vous sentir stable. Si vous pratiquez cette posture chaque jour, vous soulèverez tout votre corps en l'espace de deux semaines. Rappelez-vous : ici, l'objectif principal est de diriger votre attention vers l'intérieur, d'accroître la communication entre le mental et le corps.

Les postures d'équilibre

Santé rime avec équilibre. Le yoga offre l'occasion d'apprendre un certain nombre de choses à ce sujet. Conserver l'équilibre corps-esprit aide à effectuer des choix adéquats sur le plan karmique. À agir de la façon la plus efficace possible. Une vie équilibrée se déroule dans le dharma, car chaque action alimente le flux de l'évolution qui combine résistance minimale et succès maximal.

Une personne dont le mental est correctement équilibré sait que nous contrôlons nos choix mais pas leurs conséquences. Si l'on veut réussir, il est indispensable de se concentrer sur l'action plutôt que sur ses résultats finaux. Le yoga offre l'occasion de développer un mental équilibré en se concentrant sur une posture tout en renonçant à s'attacher à son résultat. Améliorer l'équilibre du corps facilite un travail identique sur le mental, tout comme l'équilibre mental pousse à trouver l'équilibre physique.

La série suivante de postures a été conçue pour éveiller l'équilibre dans les deux dimensions. Apprendre à maintenir son corps immobile contribue à entretenir l'immobilité du mental. Au départ, ces poses destinées à atteindre l'équilibre vous causeront sans doute quelques difficultés mais, si vous vous exercez régulièrement, elles seront chaque jour plus faciles, jusqu'au moment où vous les maîtriserez parfaitement. Apaiser totalement votre corps apaisera votre mental.

Vrksasana *– Posture de l'arbre*

Cette pose permet d'acquérir la stabilité d'un arbre. Tenez-vous debout, pieds joints, les bras placés confortablement de chaque côté du corps. Fermez les yeux et prenez conscience des mouvements naturels qui s'équilibrent automatiquement en vous. Ces petits changements dans l'activation des différents groupes musculaires vous retiennent de tomber : ils sont orchestrés par un système neuromusculaire sophistiqué. Les centres d'équilibre dans votre oreille interne et votre cerveau communiquent constamment avec vos muscles posturaux. Ils vous aident à maîtriser la force de gravité qui vous attire vers le sol. Sentez comment la Loi du moindre effort et la Loi du dharma œuvrent à l'intérieur de vous, tandis que vous observez les ajustements perpétuels qui se produisent sans que votre conscience intervienne activement.

Ouvrez maintenant les yeux et pliez le genou droit en amenant la plante du pied droit aussi haut que possible à l'intérieur de la cuisse gauche. Gardez cette position jusqu'au point de stabilité, puis, en vous balançant sur

le pied gauche, levez les bras au-dessus de votre tête et joignez les paumes. Regardez droit devant vous, en respirant calmement ; tenez la position jusqu'à vous passer du moindre ajustement pour conserver l'équilibre.

Abaissez la jambe droite vers le sol, fermez les yeux, et concentrez-vous de nouveau sur votre corps en prenant conscience de votre sens intérieur de l'équilibre. Remarquez les légères modifications intervenues après avoir effectué la posture de l'arbre. Maintenant, amenez la plante du pied gauche aussi haut que possible à l'intérieur de la cuisse droite en vous balançant sur la jambe droite. Restez immobile dix secondes, puis reposez le pied gauche sur le sol.

Pratiquez la posture de l'arbre chaque fois que votre mental est agité. En vous concentrant sur le présent, votre corps s'apaise et votre mental se calme.

Ekpadasana *– Posture sur un pied*

Pieds joints, tendez les deux bras devant vous, paumes face au sol et pouces en contact. En vous balançant sur la jambe droite, pliez partiellement le genou gauche, et amenez la jambe gauche devant vous. Trouvez votre point d'immobilité en conservant l'équilibre sur la jambe droite.

Une fois stable, amenez lentement la jambe gauche derrière vous tout en vous penchant jusqu'à ce que la jambe gauche soit tendue parallèlement au sol. Tandis que vous vous balancez sur la jambe droite, vos bras restent tendus devant vous, paumes vers le sol. Concentrez-vous sur votre respiration tandis que vous cherchez votre point d'immobilité.

Tenez cette pose dix secondes environ, puis ramenez lentement le pied au sol et terminez debout, bras le long du corps. Fermez les yeux quelques secondes en observant votre corps.

Répétez la posture, jambe gauche sur le sol. Cherchez d'abord l'équilibre jambe droite devant vous, puis

amenez-la lentement derrière vous tandis que vous vous penchez en tendant les bras vers l'avant. Revenez lentement à la position debout, les deux pieds au sol.

Il arrivera que votre concentration soit telle, durant une posture, que l'esprit et le corps ne feront plus qu'un. Tel est l'objectif ultime du yoga. Une fois installé dans la conscience du moment présent, une communication sans effort s'établit entre votre corps et votre mental.

Trikonasana – *Posture du Triangle*

À partir de la station debout, écartez les jambes de façon à ce que l'écart entre vos pieds soit à peu près égal au double de la largeur de vos épaules. Tout en inspirant, levez les bras et tendez-les parallèlement au sol, à hauteur des épaules.

Tournez le pied à quatre-vingt-dix degrés vers l'extérieur, et penchez-vous ; glissez le bras gauche vers la jambe gauche jusqu'à pouvoir attraper votre cheville. Si vous n'y arrivez pas, attrapez la jambe aussi bas que possible. Levez le bras droit et tendez-le vers le plafond. Levez les yeux vers votre main droite.

Tenez cette posture du triangle, en inspirant et expirant profondément cinq ou six fois, puis retournez progressivement à la station debout, bras tendus. Fermez les yeux et soyez à l'écoute de votre corps quelques instants.

Répétez la posture avec le bras droit et la jambe droite. Tournez le pied droit de quatre-vingt-dix degrés, puis glissez le bras droit le long de la jambe droite ; attrapez votre cheville tandis que le bras gauche se tend vers le plafond. Inspirez et expirez lentement et profondément, avant de revenir à la position debout.

La position classique du triangle stimule la stabilité et la souplesse. Cette posture ouvre le thorax. Réussir à combiner étirement et équilibre est un atout important pour la pratique du yoga, mais aussi dans la vie.

Dandayamana Konasana – *Posture de l'angle (debout)*

Tenez-vous debout, jambes écartées et bras tendus à la hauteur des épaules, parallèlement au sol. Penchez-vous lentement, saisissez vos chevilles avec les mains. Si vous n'y parvenez pas, attrapez vos jambes aussi près que possible des chevilles. Inclinez doucement la tête vers le sol tout en faisant remonter vos hanches.

Tenez cette position dix secondes, en inspirant et expirant lentement. Utilisez votre souffle pour vous abandonner à cette pose. Redressez-vous lentement, soufflez profondément à plusieurs reprises, puis recommencez la posture de l'angle (debout) encore deux fois. Notez combien cette pose devient plus facile chaque fois que vous la pratiquez.

La flexion pour arriver à cette pose vient des hanches. Vous sentirez un étirement dans l'aine et le bas de la colonne. Si vous n'attrapez pas vos chevilles, essayez de poser les mains sur le sol devant vous et de les ramener progressivement vers vos pieds.

Grâce à cette pose, le monde apparaît sous un angle différent, celui des bienfaits du yoga. Chaque personne

possède une perspective, et il est toujours commode de s'attacher à notre point de vue. Avec le temps, cela établit une certaine rigidité et nous habitue à juger. Nous laisser l'occasion de voir le monde à partir d'une nouvelle perspective entretient la souplesse de l'esprit et du corps.

Dandayamana Dhanurasana –
La posture de l'arc (debout)

Placez-vous debout, pieds joints, bras tendus devant vous, paumes tournées vers le sol. Pliez le genou gauche, tendez le bras derrière vous et, de la main gauche, saisissez votre cheville gauche. Pliez-vous en avant, tirez la jambe gauche aussi haut que possible sans que cela vous fasse mal; gardez la main droite en avant et parallèle au sol. Vous sentirez les muscles des cuisses s'étirer. Si vous n'arrivez pas à conserver l'équilibre, posez une main sur le dossier d'une chaise jusqu'à ce que vous trouviez votre centre. Tenez cette pose dix secondes, puis relâchez la jambe gauche et reposez-la sur le sol.

Répétez cette posture, du côté opposé, en commençant pieds joints et bras tendus. Tendez le bras en arrière, attrapez la cheville droite avec la main droite en gardant le bras gauche tendu en face de vous. Tenez cette position d'équilibre pendant dix secondes, puis retournez à une position debout normale.

On utilise fréquemment la métaphore de l'arc dans le yoga. Pour que la flèche atteigne sa cible, il faut d'abord tirer la corde vers soi jusqu'à un point d'immobilité qui possède un grand potentiel. Une histoire védique classique raconte l'épisode où Drone, le maître archer, donnait une leçon de tir à l'arc à Arjuna, ses frères et ses cousins. Sur un arbre éloigné, Drona avait placé un oiseau en bois sur lequel il avait peint un œil artificiel. Il demanda ensuite à chaque élève de tendre la corde mais de ne pas tirer avant de décrire ce qu'il voyait. Le premier élève expliqua qu'il voyait l'oiseau, l'arbre, le paysage environnant et les étudiants qui l'accompagnaient. Drona lui demanda de poser l'arc sans tirer. Chaque élève répondit de la même façon à la question du maître. Quand ce fut le tour d'Arjuna, celui-ci déclara :

— Je ne vois que l'œil de l'oiseau.

— Tu ne vois pas l'oiseau, les arbres et tes collègues ? lui demanda Drona.

— Non, Gourou, je ne vois que l'œil.

Alors Drona lui ordonna de tirer la flèche qui se ficha droit dans la cible.

Pour réussir dans la vie, il faut se retirer dans un endroit intérieur, silencieux, paisible, où l'on peut clarifier son objectif, puis agir en formulant son intention avec le maximum de puissance. Dans le yoga, les postures de l'arc conseillent de plonger au plus profond de soi pour trouver un état de conscience immobile et sans limites. Quand vous agissez à partir de ce champ de conscience élargi, vos intentions seront puissantes et leur accomplissement sera beaucoup plus probable.

Garudasana – *Posture de l'aigle*

La plupart des élèves trouvent cette posture difficile la première fois, mais la maîtrisent généralement au bout d'un court apprentissage. Tenez-vous debout, pieds joints. Pliez les genoux, puis faites passer votre poids sur le pied gauche. Croisez la jambe droite devant la jambe gauche jusqu'à pouvoir accrocher vos orteils dans le muscle du mollet gauche. Vous devrez garder le genou gauche plié pour y arriver.

Pendant que vos jambes sont entremêlées et que vous gardez l'équilibre, pliez le coude gauche et croisez le bras gauche entre le bras droit et la poitrine. Placez les doigts de la main droite sur la paume de la main gauche et pointez-les vers le plafond. Tenez cette pose dix secondes, puis revenez à une position normale.

Répétez cette posture d'équilibre du côté opposé en déplaçant votre poids sur le pied droit et en enroulant la

jambe gauche autour de la jambe droite. Placez les orteils du pied gauche dans votre mollet droit. Cette fois, enroulez le bras droit autour du bras gauche afin que les doigts de la main gauche reposent sur la paume droite. La jambe et le bras opposés sont sur le dessus.

Dans la mythologie védique, Garuda est le dieu aigle, mi-oiseau, mi-homme. On le montre fréquemment en train de porter Vishnu, le dieu qui régit l'univers. Garuda détruit les obstacles qui empêchent l'accomplissement des désirs. Si vous développez les capacités de concentration et d'équilibre nécessaires pour maîtriser la posture de l'aigle, les obstacles disparaîtront de votre vie.

Pratiquez régulièrement ces positions d'équilibre afin de les maîtriser parfaitement, et il vous sera plus facile de conserver votre équilibre dans toutes les situations. La relation entre l'individuel et le cosmos, le microcosme et le macrocosme, occupe une place centrale dans le yoga. Les talents acquis grâce aux exercices de yoga se traduisent en talents existentiels. Chacun peut tirer profit d'un plus grand équilibre.

Le yoga en mouvement – Les salutations au soleil

Les douze postures des salutations au soleil accroissent la souplesse et la force tout en améliorant la qualité de la circulation. On considère souvent ces postures comme un exercice complet ; par conséquent, si vous disposez d'un temps limité pour le yoga, les salutations au soleil sont sans doute le meilleur choix.

Tous les principaux groupes musculaires et toutes les articulations sont sollicités au cours de ces poses qui massent et stimulent les principaux organes internes. Elles sont conçues pour réveiller la connexion entre votre *agni*, ou feu intérieur, et celui du soleil. *Agni* a donné le mot anglais *ignite* (prendre feu, s'enflammer). Lorsque votre *agni* brûle avec éclat, vous digérez l'énergie et les informations que vous absorbez quotidiennement : aliments, idées ou expériences émotionnelles.

Lorsque votre feu intérieur est faible et crépite, vous ne métabolisez pas totalement vos expériences quotidiennes. Les résidus de ce métabolisme incomplet s'accumulent dans votre corps-esprit, ils engendrent la fatigue et affaiblissent vos défenses immunitaires. Si elles s'accompagnent d'un régime alimentaire équilibré et d'une activité quotidienne saine, et que vous évitez consciemment ce qui est toxique sur le plan physique et émotionnel, les salutations au soleil entretiennent votre feu intérieur afin que le meilleur de votre personnalité rayonne autour de vous.

Les postures de Surya Namaskar exposent l'expérience complète de la vie humaine avec ses hauts et ses bas, ses succès et ses échecs. Traditionnellement effectuées au lever et au coucher du soleil, ces poses symbolisent la transformation de l'énergie solaire en énergie vitale. Le soleil est la source de toute vie sur cette planète. En dernière analyse, nous sommes des êtres de lumière, et les salutations au soleil reconnaissent cette connexion originelle.

Accomplies lentement, les douze postures stimulent la souplesse et la force. Accomplies rapidement, les salutations au soleil constituent un excellent exercice cardiovasculaire.

Un mantra qui réveille un aspect de l'énergie solaire accompagne chaque posture du Surya Namaskar. Récitez ces mantras à chaque posture ; votre mental s'apaisera et s'élargira pendant que vous vous concentrez sur la pose.

1. ***Pranamasana*** *– Posture de la salutation*

Pour commencer, plantez fermement les pieds sur le sol. Inspirez et expirez doucement. Concentrez-vous sur le niveau d'énergie qui occupe votre corps. Le mantra de cette pose reconnaît le pouvoir inconditionnel du soleil, pouvoir qui donne la vie de façon inconditionnelle. Cette pose résonne avec le chakra du cœur et la Loi du don.

Mantra : *Om Mitraya Namaha.*

2. ***Hasta Uttanasana*** –
La posture pour atteindre le ciel

Contractez les muscles fessiers, et étirez les bras vers le ciel en inspirant. Faites travailler les muscles du dos, du thorax, des bras et du cou. Le mantra de cette pose reconnaît que le soleil a le pouvoir de disperser les ténèbres. Cette posture stimule le chakra de la gorge (de l'expression) et la Loi du détachement.

Mantra : *Om Ravaye Namaha*

3. ***Pada Hastasana*** – *Posture des mains aux pieds (ou posture de la pince debout)*

Tendez les bras devant vous, tout en expirant. Placez les mains de chaque côté de vos pieds, inclinez et appuyez doucement la tête sur les genoux. Pliez les genoux autant que vous avez besoin pour placer les mains à côté des pieds. Cette flexion en avant contrebalance les effets de l'étirement de la pose précédente. Le mantra correspondant souligne le mouvement continuel du soleil, qui induit les rythmes quotidiens et saisonniers. Il est associé avec le chakra de la créativité et la Loi du moindre effort.

Mantra : *Om Suryaya Namaha*

Mantra : *Om Bhanave Namaha*

4. ***Ashwa-sanchalanasana*** *– Posture équestre*

Tendez maintenant la jambe droite en arrière tout en regardant vers le haut. Respirez lentement. Associé au chakra de l'intuition et à la Loi du dharma, le mantra de cette posture reconnaît la sagesse qui apparaît lorsque la lumière éclaire un sujet.

5. ***Parvatasana*** *– Posture de la montagne*

Les deux jambes tendues, soulevez les fesses et étirez les bras. Associé au chakra de la gorge (de l'expression) et à La Loi du détachement, ce mantra célèbre le pouvoir illimité du soleil.

Mantra : *Om Khagaya Namaha*

6. ***Asthanga Namaskar*** *– Posture des huit membres*

À partir de la position précédente, descendez doucement vers le sol jusqu'à ce que le front, la poitrine et les genoux touchent le plancher, mais maintenez l'essentiel de votre poids sur les mains et les orteils. Le mantra correspondant à la posture des huit membres reconnaît que le soleil nourrit tous les êtres vivant sur cette terre. On l'associe au chakra du plexus solaire (de l'énergie) et à la Loi de l'intention et du désir.

Mantra : *Om Pooshne Namaha*

7. ***Bhujangasana*** – *Posture du Cobra*

Détachez-vous du sol en utilisant les muscles du dos et du thorax. En poussant avec les mains, ne les étirez pas exagérément. Le mantra de cette posture invoque la lumière intérieure qui se reflète dans la lumière extérieure du soleil. Cette pose renvoie au chakra de la créativité et la Loi du moindre effort.

Mantra : *Om Hiranya Garbhaya Namaha.*

Cycle de retour

La seconde moitié des salutations au soleil reprend les mouvements de la première moitié.

8. ***Parvatasana*** – *Posture de la montagne*

Revenez à cette posture, cette fois en récitant le mantra *Om Marichaya Namaha,* qui reconnaît le pouvoir de transformation du soleil. En sanskrit, *marich* signifie « poivre noir » et l'on estime que cet aliment contient de grandes quantités d'énergie solaire.

9. ***Ashwa-sanchalanasana*** – *Posture équestre*

Passez à la pose équestre, cette fois en tendant la jambe gauche en arrière. Le mantra correspondant, *Om Āditya Namaha*, reconnaît l'aspect nourrissant et maternel du soleil.

10. ***Pada Hastasana***

Continuez le cycle en passant à la posture des mains aux pieds en utilisant le mantra *Om Savitre Namaha*, qui convient du pouvoir stimulant du soleil.

11. *Hasta Uttanasana*

Passez ensuite à la posture pour atteindre le ciel. Récitez le mantra *Om Arkaya Namaha,* qui célèbre le pouvoir énergétique du soleil.

12. *Pranamasana*

Pour terminer, retournez au commencement en accomplissant la posture de la Salutation, en récitant le mantra *Om Bhaskaraya Namaha* qui voit le soleil comme l'aliment de la mémoire de la totalité.

La rapidité et la vigueur des postures doivent être adaptées au corps de chacun. Mieux vaut commencer par une série de dix poses. Lorsque vous commencez à vous sentir plus à l'aise, augmentez graduellement leur nombre. Respirez en harmonie avec les mouvements : inspirez à chaque extension et expirez à chaque flexion.

Pour être pleinement efficace, les postures doivent s'enchaîner de façon paisible, coulante.

Selon le yoga, si vous faites les salutations au soleil chaque jour, votre mental restera en alerte, vibrant d'énergie, et votre corps léger et souple.

Les salutations au soleil sur une chaise

Ces exercices se révélant extrêmement bénéfiques, nous avons mis au point une version que l'on peut exécuter sur une chaise. Ces postures peuvent être réalisées en voiture (si vous voyagez pendant de nombreuses heures en tant que passager), à votre bureau ou dans un avion. Elles diminuent la tension de votre colonne vertébrale, facilitent la circulation et atténuent les douleurs musculaires.

Commencez par la posture de la salutation en vous asseyant confortablement sur votre siège, la colonne vertébrale droite et les mains jointes devant votre poitrine. Respirez doucement.

En inspirant, levez les mains au ciel et étirez la colonne vertébrale.

Penchez-vous en avant, les mains de part et d'autre de vos pieds, et posez le thorax sur vos genoux. Expirez.

Redressez-vous pour passer à la posture de l'extension (semblable à la posture équestre). Soulevez le genou gauche en regardant vers le plafond. Inspirez.

Expirez partiellement tout en baissant le menton vers le genou gauche pour commencer la posture de la flexion (semblable à la posture de la montagne). Arrondissez doucement le dos.

Penchez-vous de nouveau en avant pour la posture des mains aux pieds. Posez votre poitrine sur les genoux et les mains sur le plancher. Chassez complètement l'air de vos poumons.

Laissez pendre les mains et les bras le long de vos jambes. Arquez le dos et le cou pour la position du Cobra, tout en inspirant partiellement.

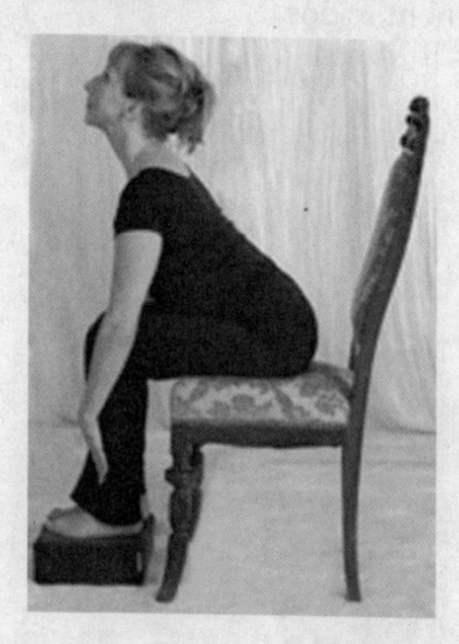

Inspirez à fond en amenant le genou droit contre la poitrine pour la posture de l'extension (semblable à la posture équestre) tout en vous redressant afin de courber légèrement le dos.

Videz partiellement les poumons en vous penchant pour adopter la posture de la flexion (semblable à la posture de la montagne). Posez le menton sur votre genou droit.

Expirez à fond, penchez-vous en avant pour enchaîner sur la posture des mains aux pieds. Posez le thorax sur vos genoux, pliez le cou et mettez vos bras le long des jambes en posant les mains de chaque côté de vos pieds.

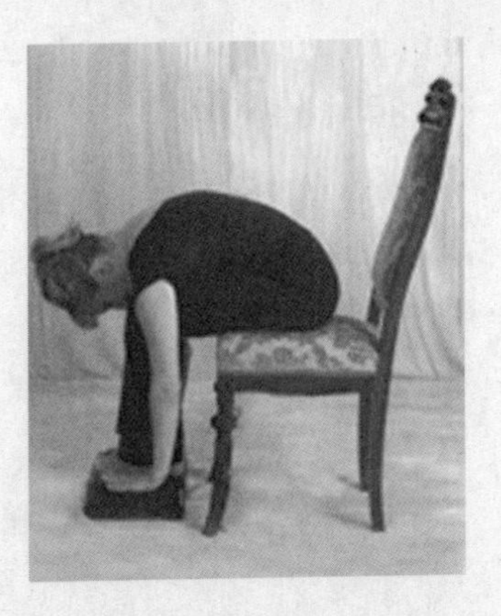

Tendez les bras vers le haut pour passer à la posture pour atteindre le ciel. Étirez la colonne en inspirant à fond.

Revenez à la posture de la salutation, mains jointes devant la poitrine. Respirez doucement.

Postures pour ouvrir l'énergie

L'énergie vitale monte et descend le long de la moelle épinière. Dans le yoga, les sept chakras sont reliés par des canaux d'énergie que l'on appelle *Ida*, *Pingala* et *Sushumnā*.

Ida sert de canal à l'énergie lunaire, féminine, du côté gauche du corps. Lorsque vous respirez par la narine gauche, votre Ida est ouvert et l'énergie réceptive investit votre corps-esprit.

Pingala conduit l'énergie masculine, solaire, du côté droit. Quand vous respirez par la narine droite, votre énergie active, dirigée vers un but, est plus dominante.

Sushumna coule au milieu du corps et relie le chakra racine (situé à la base de la colonne vertébrale), au chakra du lotus dans la fontanelle.

Les canaux ouverts, l'énergie vitale coule librement. Lorsqu'elle monte dans la moelle épinière, on dit que le *Kundalini* se réveille. On représente parfois ce phénomène par un serpent qui se déroule à partir du sacrum. Ces postures finales sont conçues pour éviter toute congestion dans la moelle épinière. Elles permettent au prāna de nourrir chaque organe, tissu et cellule.

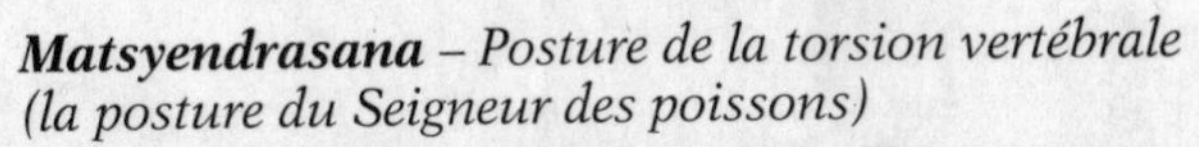

***Matsyendrasana** – Posture de la torsion vertébrale (la posture du Seigneur des poissons)*

Asseyez-vous par terre, jambes allongées devant vous. Pliez la jambe gauche et placez le pied gauche sur le sol à côté de votre cuisse droite. Posez le bras droit autour du genou gauche tout en tordant la colonne vertébrale vers la gauche. Tenez cette position en respirant calmement. À chaque expiration, abandonnez-vous à cette posture.

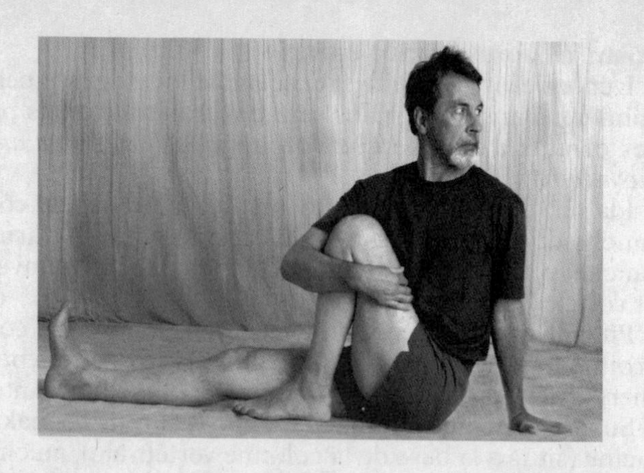

Revenez à la position initiale et répétez la posture de l'autre côté. Pliez la jambe droite et amenez lentement le pied droit sur le sol à côté de la cuisse gauche. Placez votre bras gauche autour de votre genou droit tout en tordant la colonne vertébrale. Respirez calmement pour que votre souffle augmente votre souplesse. Lorsque vous vous sentez plus flexible, tendez le bras pour attraper la cheville du pied posé au sol. Maintenez-vous dix secondes, puis retournez à la pose initiale.

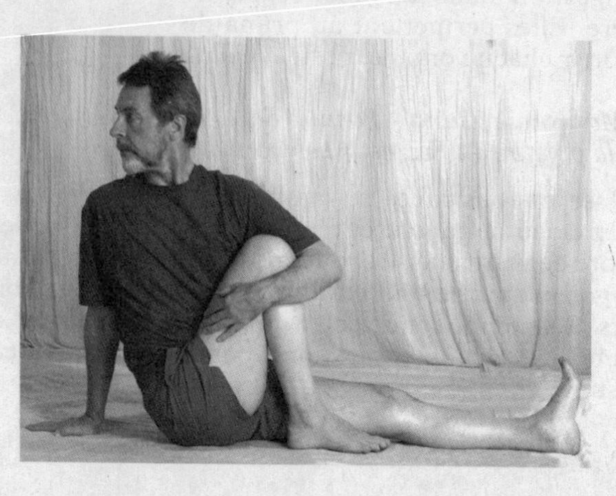

Fermez les yeux quelques secondes et concentrez-vous sur votre moelle épinière. Visionnez la force vitale qui part du sacrum, traverse le bassin, l'abdomen, le cœur, la gorge, remonte entre les yeux jusqu'à la fontanelle. Imaginez le lotus aux mille pétales qui s'ouvrent au chakra couronne. Formulez l'intention de vivre dans un état de conscience plus élargi, grâce à une énergie qui s'écoule librement à travers le corps.

Selon la mythologie védique, le Seigneur Shiva aurait enseigné l'essence du yoga à Pārvati, déesse à trois têtes, de l'amour, de la mort et de la terre, sur la côte d'une île éloignée. Un jour, Shiva remarqua qu'un poisson l'écoutait attentivement parler. Ému par sa concentration, Shiva bénit l'animal aquatique, lui permettant ainsi d'assumer une forme céleste qu'il appela Matsyendra, le Seigneur des Poissons. Cette posture a été nommée en l'honneur de cet être réceptif, hors du commun.

Chakrasana – *La roue à genoux*

À partir de la position précédente, mettez-vous à genoux en écartant légèrement les jambes derrière vous. Arquez le dos et attrapez vos chevilles avec vos mains, de chaque côté respectif. Élevez vos hanches vers le plafond tout en laissant votre tête se détendre en arrière. Dans cette position, respirez doucement dix secondes environ, puis abaissez lentement les hanches et revenez à la position initiale, à genoux. Fermez les yeux et concentrez-vous sur votre moelle épinière. Visualisez l'énergie qui circule du sacrum à la fontanelle.

Cette pose ouvre le pelvis et la colonne, tout en fortifiant les muscles du cou et du dos. Soyez conscient de votre souffle. Formulez l'intention de gonfler le thorax à chaque inspiration profonde lorsque vous vous étirez. En dehors du fait que cette posture imite la forme d'une roue (chakra), elle active tous les centres d'énergie.

Vajrāsana *– Posture du diamant*

Commencez à genoux, la colonne vertébrale bien droite, puis asseyez-vous lentement sur les talons. Gardez cette position quelques secondes, puis détachez les fesses de vos talons. Rasseyez-vous doucement sur les talons. Observez votre respiration et détendez-vous, plus profondément à chaque souffle. En activant la Loi de l'intention et du désir, visualisez comment l'énergie coule librement le long de la moelle épinière.

Vous éveillez ainsi l'énergie dans les chakras inférieurs. Hanches, genoux et chevilles s'assoupliront progressivement. Cette posture aide ceux qui souffrent de troubles digestifs et d'hémorroïdes.

Le diamant est un joyau précieux dont la fréquence spirituelle est la plus élevée. Il symbolise la pureté et l'éternité. Cette pierre a la propriété de découper presque tous les matériaux connus. La posture du diamant éveille l'état de conscience correspondant à l'intégration corps-esprit : il permet de « découper » l'ignorance avec la sagesse de l'infini et du champ illimité de la vie.

Matsyasana – *Posture du poisson*

Cette pose étire autant la colonne vertébrale que la posture du diamant, mais elle est un peu plus facile. Ne la confondez pas avec la posture du Seigneur des Poissons. Le matsya ouvre la poitrine, facilitant une meilleure aération des poumons. On le réalise soit en lotus, soit en demi-lotus.

Asseyez-vous confortablement dans la position du lotus, puis renversez-vous lentement en arrière tout en gardant les jambes croisées. Placez les paumes à plat sur le sol, sous les fesses. Pendant que vous arquez le dos, abaissez vos jambes croisées jusqu'au sol. Appuyez-vous sur vos coudes et vos avant-bras pliés, tout en continuant à creuser le dos jusqu'à ce que la couronne de votre tête repose sur le sol. Respirez tranquillement et tenez cette position quinze secondes. Abaissez le dos jusqu'au sol et décroisez lentement les jambes.

Si vous n'arrivez pas à atteindre le lotus complet, choisissez une version simplifiée de la posture du poisson. Étendez-vous sur le dos, pliez les genoux et amenez les talons aussi près que possible de vos fesses. Faites porter le poids sur les coudes et les avant-bras tout en creusant le dos jusqu'à ce que le sommet du crâne touche par terre. Remarquez la sensation d'étirement dans le cou et le dos ; conservez cette posture pendant quinze secondes, puis ramenez lentement le dos puis les jambes vers le sol.

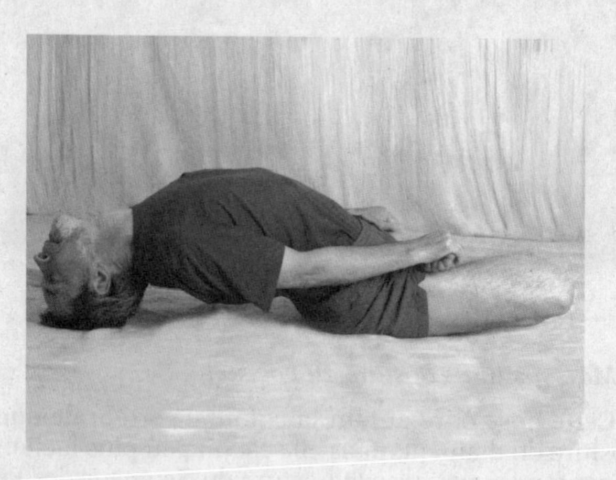

Balasana – Posture de l'enfant

Agenouillé par terre, asseyez-vous sur les talons en croisant les gros orteils. Séparez les genoux et courbez-vous lentement en avant jusqu'à ce que le thorax entre en contact avec les cuisses. Posez les mains sur le sol, le long du torse, paumes vers le ciel, et relâchez les épaules. Posez le front à terre et respirez doucement.

La posture de l'enfant est une posture confortable et reposante. Elle apaise le mental lorsque le corps s'installe dans une relaxation plus profonde. Le balasana partage plusieurs caractéristiques avec la position du fœtus.

Concentrez-vous sur la Loi du moindre effort pendant que vous vous abandonnez à la posture de l'enfant, en savourant le sentiment de sécurité intérieure engendré.

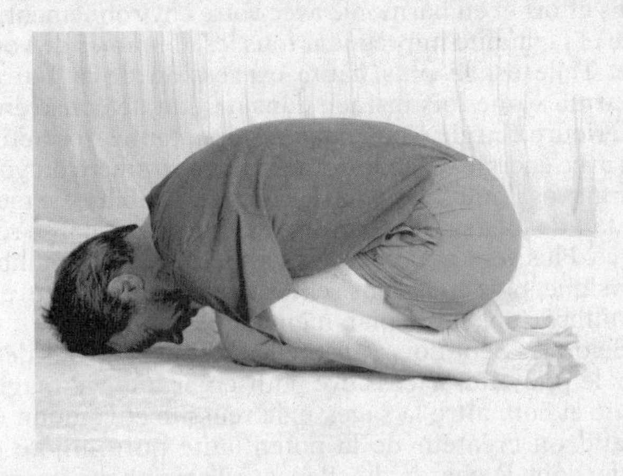

Les enfants sont souples et possèdent une étonnante capacité d'adaptation face aux changements, même s'ils ont plus de mal à contrôler le cours de leur propre vie. Bien qu'ils soient soumis à la volonté des adultes qui dirigent leur existence, les enfants savent être heureux dans le moment présent. La souplesse et l'adaptabilité sont des qualités importantes, et le yoga les cultive afin de renouer avec une partie de la résistance de la jeunesse.

Un jour, Carl Jung a écrit que, tout comme les enfants, nous avions une perfection inconsciente. Adultes, nous prenons conscience de notre imperfection. Et pour finir, la sagesse nous permet d'atteindre la perfection consciente.

La posture de l'enfant fournit l'occasion d'apaiser le mental, détendre le corps et célébrer l'état de perfection consciente. Chaque fois que les exigences du monde vous semblent trop lourdes, adoptez cette posture et permettez à la Loi du moindre effort et à la Loi du détachement de s'éveiller spontanément.

Le yoga en action

Le corps humain est conçu pour le mouvement. Quand vous êtes capable de vous mouvoir librement, sans effort et en harmonie avec votre environnement, la joie et la vitalité imprègnent tous les domaines de votre vie. Telle est la plus haute expression de la Loi du dharma – une fois installé dans un état de conscience intérieure élargie, vous menez à bien toutes vos activités avec énergie et facilité. La pratique régulière du yoga élargit vos limites. Lorsque le corps se flexibilise, le mental fait de même. Si le corps se fortifie, le mental se renforce. Plus vous apprenez à conserver un état d'équilibre physique, plus vous vous sentez naturellement centré et équilibré, tant sur le plan mental qu'émotionnel.

Selon les Sept Lois Spirituelles du Succès, vous détenez le potentiel nécessaire pour créer une vie magnifique et connaître la sagesse, la réussite et l'amour. Le chaudron créateur de la potentialité pure mijote en vous, dans le champ du silence, à l'origine du corps et du mental. Vous pouvez y accéder par le yoga, en cultivant l'immobilité.

Lorsque vous êtes profondément connecté à l'esprit, vous donnez et recevez sans effort, et le bonheur jaillit dans votre vie. Chaque souffle, chaque mouvement du yoga vous rappelle que vous devez laisser l'énergie vitale circuler sans entrave entre votre corps personnel et votre corps élargi, afin d'éveiller spontanément la Loi du don.

La Loi du karma vous indique que chaque action provoque une réaction. Agir consciemment pendant vos exercices de yoga vous garantit que les conséquences de vos choix iront davantage dans le sens de l'évolution pour vous et ceux qui vous entourent.

Inutile de lutter pour atteindre vos objectifs : si vous êtes ouvert à cette idée, vous permettrez à la Loi du moindre effort de fonctionner. Chaque exercice de yoga reprend ce principe essentiel. Si vous vous forcez à réaliser une posture, vous en paierez certainement le prix le lendemain : votre souplesse diminuera au lieu d'augmenter. Le yoga vous apprend à vivre avec finesse.

Vos intentions orchestrent leur accomplissement. Pensez à la Loi de l'intention et du désir pendant vos exercices, lorsque vous passez d'une posture à l'autre. Formulez votre intention, puis lâchez prise. Cette coexistence paradoxale entre la Loi du détachement et la Loi de l'intention et du désir appelle le pouvoir de la nature à vous soutenir dans vos aspirations les plus profondes.

Chaque moment est ce qu'il devrait être. Depuis les débuts du temps et de l'espace, l'univers se développe à travers des coïncidences multidimensionnelles et insondables. Lutter contre le moment présent, c'est lutter contre le monde entier.

Le yoga éveille la Loi du dharma dans votre vie en vous apprenant à trouver votre voie. Votre corps est capable de calculer les choix les plus favorables à l'évolution parmi ceux qui sont à votre disposition à tout moment. Vous avez seulement besoin de savoir écouter les signaux de votre corps qui désire soutenir votre bonheur et votre santé.

Le yoga élimine les parasites qui brouillent les communications entre le corps et le mental, ainsi qu'entre le corps et l'esprit. La clarté, la souplesse, l'équilibre, la force et la conscience correctement centrée que vous cultivez dans vos postures vous serviront pendant la journée et tout au long de votre vie.

8

Les Sept Lois Spirituelles d'une séance de yoga

Nous avons ce que nous cherchons.
Il est à nos côtés tout le temps et, si nous faisons
preuve de patience, il se fera connaître.

Thomas Merton

Vous connaissez maintenant le programme des Sept Lois Spirituelles du Yoga. Grâce aux techniques de respiration consciente, vous entrerez dans un profond silence. Votre corps et votre mental apprendront des positions qui accroissent la souplesse, la force et l'équilibre. Les salutations au soleil améliorent le système cardiovasculaire et les exercices de gestion de l'énergie aident à canaliser consciemment la force vitale. Après avoir terminé ces exercices physiques, n'oubliez pas de vous concentrer quelques minutes sur la loi spirituelle du jour afin qu'elle opère toute la journée. Comme vous le savez, les principaux éléments du yoga sont :

– les exercices de respiration (le prānāyama),

– la méditation,

– les postures de souplesse,

– les postures d'équilibre,

– les salutations au soleil,

– les bandhas,

– les postures d'ouverture des chakras,

– et la loi spirituelle du jour.

Chaque jour, il vous faut consacrer un temps significatif à la pratique du yoga si vous désirez assurer le bien-être de votre corps, de votre mental et de votre âme. Lorsque vous effectuez ces exercices seul, une séance idéale se répartit comme suit :

Prānāyama
(exercices de respiration, 5 à 10 minutes)

Commencez par plusieurs Bhastrika (ou « soufflets ») pour purger votre corps de ses toxines. Puis faites 3 ou 5 respirations Dirgha, en amenant de l'air dans les parties inférieure, médiane et supérieure des poumons. Ensuite, passez à l'Ujjayi pendant plusieurs minutes ; inspirez et expirez lentement en contractant légèrement les muscles de la gorge. Terminez par Nadi Shodhana, la respiration alternée par les narines. Fermez partiellement les yeux pendant le Nadi Shodhana afin de vous concentrer. Selon le temps dont vous disposez (5-10 minutes), voici la répartition que nous vous suggérons :

Bhastrika (1 à 2 minutes) : respiration du soufflet

Dirgha (1 à 2 minutes) : respiration complète

Ujjayi (1 à 2 minutes) : respiration du succès

Nādi Shodhana (2 à 4 minutes) : respiration de nettoyage

Méditation So Hum (10 à 30 minutes)

Après avoir nettoyé les canaux très étroits permettant la circulation de l'énergie vitale avec les exercices de respiration (le prānāyama), vous voilà prêt à atteindre un état de conscience plus élargi grâce à la méditation. Fermez complètement les yeux et observez simplement vos pensées quelques instants. Puis concentrez-vous successivement sur chacun des sept chakras, en psalmodiant à haute voix les mantras correspondants.

Après avoir éveillé les points de jonction entre le mental et le corps, il vous faut maintenant calmer votre mental. Commencez par une méditation silencieuse avec un exercice de respiration consciente, accompagné par le mantra So Hum, ou avec une autre technique. Il serait souhaitable que vous appreniez la Méditation des Sons Primordiaux avec un instructeur qualifié.

Dans l'idéal, la méditation dure entre 20 et 30 minutes. Si vous ne pouvez y consacrer autant de temps, réservez au moins 10 minutes à la méditation au cours de chaque séance. Prenez toujours quelques minutes pour vous étirer doucement à la fin, avant d'ouvrir les yeux et de reprendre vos activités.

Postures de souplesse (10 à 20 minutes)

Après avoir nettoyé les canaux d'énergie et apaisé votre mental, vous êtes maintenant prêt à déplacer consciemment l'énergie dans votre corps grâce aux postures de yoga. Commencez par les postures de souplesse. Consacrez 1 à 2 minutes à chacune des 9 poses.

1. ***Pavanamuktasana*** – *Posture de libération des gaz*

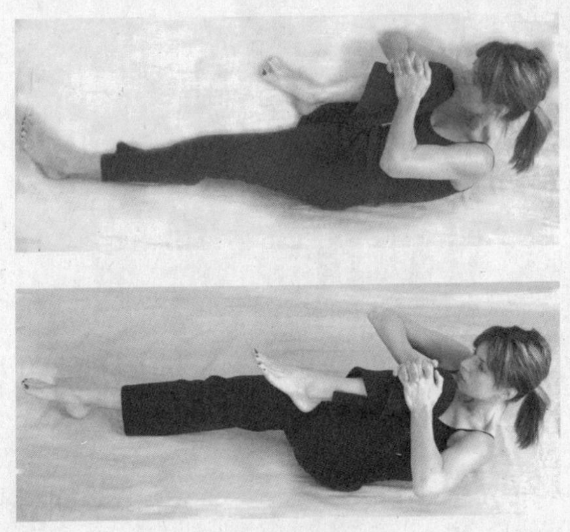

2. ***Sarvangasana*** – *Posture sur les épaules*

3. ***Halasana*** – *Posture de la charrue*

4. ***Bhujangasana*** – *Posture du cobra*

5. ***Salabhasana*** – *Posture de la sauterelle*

6. ***Dhanurasana*** – *Posture de l'arc*

7. ***Janu Sirsasana*** – *Posture de la tête au genou*

8. ***Padmāsana*** – *Flexion du Lotus*

9. ***Uttpluthi*** – *Posture de soulèvement*

Postures d'équilibre (5 à 10 minutes)

Votre souplesse s'étant désormais accrue, il vous sera plus facile de travailler l'équilibre. Consacrez 1 minute à chacune des six poses suivantes. Notez combien votre turbulence mentale intérieure se calme lorsque vous trouvez votre équilibre physique.

1. ***Vrksasana :*** *Posture de l'arbre*

2. ***Ekpadasana :*** *Posture sur un pied*

3. ***Trikonasana :*** *Posture du triangle*

4. **Dandayamana Konasana :** *Posture de l'angle (debout)*

5. **Dandayamana Dhanurasana :**
Posture de l'arc (debout)

6. ***Garudasana :*** *Posture de l'aigle*

Salutations au soleil (5 à 20 minutes)

Les exercices suivants peuvent être effectués lentement ou énergiquement. Dans le contexte de cette séance, nous vous conseillons d'enchaîner rapidement les douze postures. Commencez par en exécuter six, ce qui devrait vous prendre 5 minutes, puis ajoutez-en à chaque séance jusqu'à effectuer toutes les salutations en 15-20 minutes. Non seulement vous étirerez les muscles et les articulations, mais vous stimulerez le cœur et améliorerez la circulation.

1. *Posture de salutation*

2. *Posture pour atteindre le ciel*

3. *Posture des mains aux pieds*

4. *Posture équestre*

5. *Posture de la montagne*

6. *Posture des huit membres*

7. *Posture du cobra*

8. *Posture de la montagne*

9. *Posture équestre*

10. *Posture des mains aux pieds*

11. *Posture pour atteindre le ciel*

12. *Posture de salutation*

Bandhas (2 to 5 minutes)

À ce stade, il est utile de mettre en œuvre les techniques de canalisation d'énergie. Commencez par la contraction du menton ; expirez profondément, penchez la tête en avant, puis inspirez gorge fermée. Expirez au bout de quelques secondes et passez à la contraction de l'estomac ; soulevez-le grâce aux muscles de l'abdomen et du diaphragme. Pour finir, éveillez l'énergie à la base de la colonne vertébrale avec le bandha de la base, c'est-à-dire en contractant les muscles des sphincters.

Jalandhara bandha (1 minute) :
contraction du menton

Uddiyana bandha (1 minute) :
contraction de l'estomac

Moola bandha (1 minute) : contraction de la base

Postures pour ouvrir les chakras (5 à 10 minutes)

Terminez vos āsanas par quatre postures pour ouvrir l'énergie : elles vous aideront à rassembler votre force vitale. Travaillez chaque posture en étant conscient que vous permettez à l'énergie de couler dans chaque organe, cellule ou tissu de votre corps.

1. ***Matsyendrasana :*** *Posture de la torsion vertébrale*

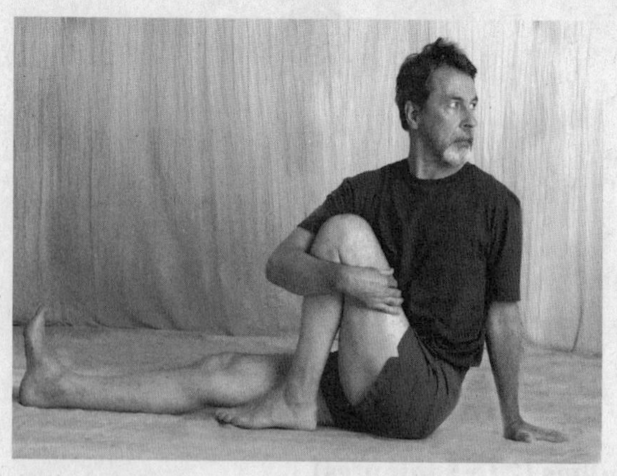

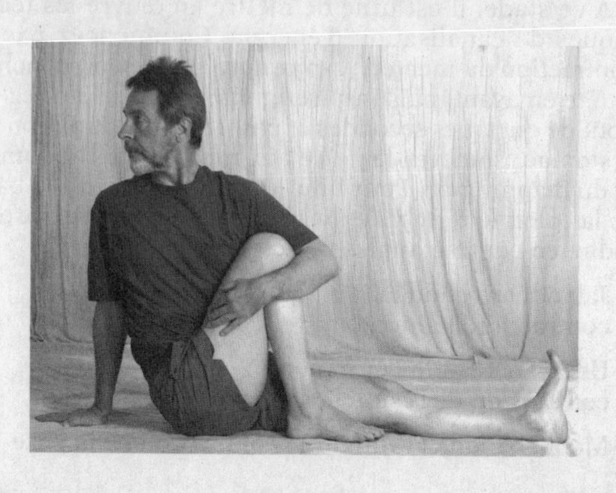

2. ***Chakrasana :*** *Posture de la roue à genoux*

3. ***Suptavajrasana :*** *Posture du diamant à genoux*

4. ***Balasana*** **:** *Posture de l'enfant*

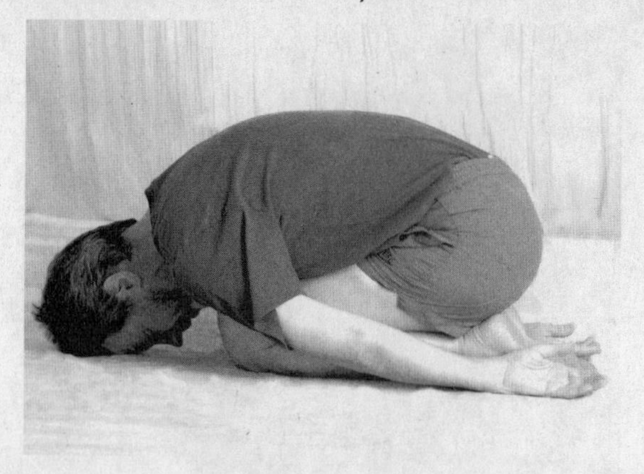

Activez la Loi spirituelle du jour (5 minutes)

À la fin du programme, étendez-vous sur le dos, les bras allongés de chaque côté du corps et laissez votre conscience totale envahir votre corps. Savourez les sensations produites par les déplacements de la force vitale en vous.

Concentrez-vous sur la loi spirituelle du jour, engagez-vous à lui donner vie en formulant trois intentions pour l'activer. Grâce à la conscience élargie, à la souplesse et à l'équilibre acquis par votre pratique du yoga, la loi du jour soutiendra spontanément l'accomplissement de vos désirs les plus profonds.

Jour	**Loi Spirituelle**	**Intentions pour activer la loi**
Dimanche	Loi de potentialité pure	1. Cultiver l'immobilité 2. Communier avec la nature 3. Pratiquer le non-jugement
Lundi	Loi du don (du donner et du recevoir)	1. Pratiquer la conscience du souffle 2. Cultiver la gratitude 3. Reconnaître vos besoins
Mardi	Loi du karma (ou de la cause et de l'effet)	1. Observer vos choix 2. Envisager les conséquences 3. Ecouter votre cœur
Mercredi	Loi du moindre effort	1. Pratiquer l'acceptation 2. Accepter la responsabilité 3. Être sans défense
Jeudi	Loi de l'intention et du désir	**1. Éclaircir vos intentions** **2. Avoir confiance dans le résultat final** **3. Pratiquer la conscience du moment présent**
Vendredi	Loi du détachement	**1. Pratiquer le détachement** **2. Accepter l'incertitude** **3. S'abandonner au champ de pure potentialité**
Samedi	Loi du dharma ou de l'objectif existentiel	**1. Écouter votre témoin silencieux** **2. Reconnaître vos talents** **3. Servir autrui**

Priorités

Si vous consacrez suffisamment de temps à chaque étape de cette séance, celle-ci devrait durer entre 45 minutes et deux heures. Fixez la durée, le rythme et le nombre d'exercices que vous souhaitez faire. Ces séances quotidiennes vous procureront de nombreux bienfaits physiques, émotionnels et spirituels. Respectez ce programme pendant un mois et vous serez un yogi pour le reste votre vie.

Conclusion

À partir d'ici, vous devenez ce que vous voyez.

Patañjali

Selon la philosophie indienne, le yoga est une discipline qui permet d'acquérir la connaissance à travers l'expérience directe. Un chimiste peut comprendre la base moléculaire d'une fraise ; un généticien identifier les séquences d'ADN qui sous-tendent chaque variété de fraises ; un botaniste déterminer les qualités optimales de la terre et de l'eau pour qu'une fraise y pousse sans problème. Un yogi connaît la fraise… en la goûtant.

Selon le yoga, nous comprenons la réalité en expérimentant consciemment les différentes dimensions de notre vie – physique, mentale et spirituelle. En écoutant les sensations de notre corps, nous comprenons notre fonctionnement physiologique. En prêtant attention à notre dialogue intérieur, nous découvrons la nature du mental. En dépassant les limites communément admises de notre corps et de notre mental, nous appréhendons notre nature spirituelle essentielle.

Le yoga encourage à élargir votre sens du moi afin de relever les défis de l'existence. Chacun de nous est un personnage héroïque avec un rôle à jouer sur le champ de bataille de la vie. La *Bhagavad Gitā*, ce grand classique de la littérature spirituelle indienne, décrit l'histoire éternelle de la vie au cours de laquelle les forces du bien et du mal investissent les deux clans opposés d'une même famille. Le clan des Pandava, dirigé par Arjuna, incarne les actions justes, en harmonie avec la loi naturelle. Le clan des Kaurava, conduit par Duryodhana, symbolise les actions accomplies avec une conscience limitée. Cette conscience limitée aboutit à la souffrance des individus affectés par ces choix. La *Bhagavad Gītā* commence au moment où ces deux forces contraires se préparent à un gigantesque affrontement.

Arjuna et Duryodhana demandent de l'aide au Seigneur Krishna, qui représente l'état de conscience élargie. Krishna offre à l'un son armée et à l'autre, le conducteur de son char. Duryodhana choisit l'armée de Krishna, pensant que la maîtrise de la force lui sera plus utile. Le pouvoir de la conscience élargie, évoqué par Krishna, revient à Arjuna.

Krishna emmène Arjuna au-dessus du champ de bataille et Arjuna lui avoue son désarroi et sa confusion. D'un côté, il est de son devoir de combattre le clan de sa famille qui a causé tant de dégâts dans ce monde. Mais, de l'autre, il éprouve une immense compassion pour ses oncles et ses cousins ayant joué un rôle important dans sa vie. Arjuna est paralysé par cette bataille intérieure. Le yoga est passé maître dans l'art de nous exposer ce conflit classique entre le cœur et le mental, conflit que chacun de nous affronte à maintes reprises au cours de sa vie.

Alors que le temps se suspend, Krishna apprend à Arjuna l'essence du yoga : le bien et le mal, le plaisir et la douleur, la perte et le gain ne sont que les deux faces de la même pièce, celle de la vie. Le yoga nous propose de dépasser cette dualité et de nous installer dans un état au-delà du temps, de l'espace et de la causalité. Une fois qu'Arjuna est connecté à l'esprit, Krishna l'exhorte à se lancer dans la bataille pour rééquilibrer les forces de la nature.

Krishna dit à Arjuna :

— Va au-delà du royaume du bien et du mal où la vie est dominée par les commencements et les fins. Entre dans le royaume du yoga où toute dualité trouve son unité. Etabli dans l'unité, choisis les actions qui soutiennent le dharma.

Tel est l'objectif ultime du yoga. Il vous fait pénétrer dans le champ de la pure potentialité où tout est possible. Il éveille la Loi du don pendant que nous prenons conscience de l'échange continuel entre notre énergie vitale et celle de l'univers. En exécutant les flexions et les étirements de vos postures, vous exprimez la Loi du karma : vous reconnaissez que chaque action engendre une réaction proportionnée. La Loi du moindre effort prend vie lorsque vous vous abandonnez à chaque pose, en lâchant prise plutôt qu'en vous forçant à réussir chaque position. Combinant la Loi de l'intention et la Loi du détachement, le yoga montre que, si vous formulez clairement votre désir et laissez la nature orchestrer son accomplissement, vous maximisez les résultats et minimisez les efforts. Si vous agissez avec grâce, sensibilité et conscience, vous éveillez la Loi du dharma grâce à laquelle vos actions ont un effet positif sur vous et votre environnement.

La pratique du yoga est toujours positive, quelles qu'en soient ses motivations. Il est aussi noble de vouloir augmenter la souplesse de son corps ou de diminuer son stress que de chercher à développer sa spiritualité. Le yoga possède une grande qualité : il nous sert et nous nourrit à tous les niveaux de l'être et contribue facilement à l'accroissement du bien-être dans tous les domaines de la vie.

Le yoga mérite toute notre attention, il mérite que nous lui consacrions du temps. Il vous révélera certains de vos talents inexploités depuis votre enfance – la capacité d'accéder à la paix et l'harmonie, de rire et d'aimer.

Bibliographie

De Deepak Chopra

Les Sept Lois Spirituelles du Succès, Paris, J'ai Lu, 1997, trad. de l'anglais par M.-O. Hermand

Comment connaître Dieu, Paris, J'ai Lu, 2002, trad. de l'anglais par N. Tridon

Le livre des coïncidences : vivre à l'écoute des signes que le destin nous envoie, Paris, InterÉditions, 2004, trad. de l'anglais par N. Koralnik

De David Simon

The Wisdom of Healing, New York, Three Rivers Press, 1997.

Return to Wholeness, New York, John Wiley & Sons, 1999.

Vital Energy, New York, John Wiley & Sons, 2000.

De nos maîtres

Nisargadatta Maharaj, *Je suis*, Paris, Les Deux Océans, 1982, traduit de l'anglais par M. Frydman

Viveka-Chudamani, *Shankara's Crest – Jewel of Discrimination*, Hollywood, Californie, Vedenta Press, 1978

Iyengar BKS. *Lumière sur les Yoga Sutras de Patañjali*, Paris, Buchet-Chastel, 2004, trad. de l'anglais par Cécile de La Rue

Frawley D., *Yoga et Ayurveda, autoguérison et réalisation de soi*, Éd. Turiya, 2002

Osho, *Techniques de méditation*, Éd. du Gange, 1995
Venkantesananda S., *The Concise Yoga Vasishta*, Albany, New York, SUNY Press, 1985
Shri Aurobindo, *La pratique du yoga intégral*, Albin Michel, 1995
Swami Satyananda Saraswati, *Asana Pranayma Mudra Bandha*, Éd. Satyanandashram, 1993

Le Centre Chopra –
Un lieu de santé et de transformation

Soucieux d'accomplir le rêve de toute une vie, et de créer un environnement favorable à l'amélioration de notre santé physique et nos nourritures spirituelles, Deepak Chopra et David Simon ont ouvert le Centre Chopra pour le bien-être en 1994. Situé au centre du La Costa Resort & Spa, ce lieu propose une vaste gamme de formations individuelles et collectives concernant à la fois la médecine corps-esprit, les méthodes de soins et le développement personnel. Puisant dans les meilleurs éléments des traditions des médecines occidentales et naturelles, le Centre Chopra offre une approche innovatrice de la santé et des soins. Sous la direction des docteurs Chopra et Simon, nos invités peuvent activement participer à des stages, ateliers, conférences et séminaires. Cela leur permet de nourrir leur corps d'énergie, de purifier leur mental, et d'élever leur âme, ce qui est leur est bénéfique sur les plans physique, émotionnel et spirituel.

Nous combinons les anciennes techniques holistiques de guérison du corps-esprit avec des traitements naturels modernes pour éveiller la force vitale et tonifier et soigner le corps-esprit. Conçus par les Dr Chopra et Simon, les traitements du Centre Chopra sont fondés sur les principes éternels de l'Ayurveda – système de soins mis au point en Inde il y a déjà cinq mille ans.

Pour plus d'informations sur notre programme concernant les Sept Lois Spirituelles du yoga et tous nos ateliers, séminaires, services et produits pour la guérison et la transformation, visitez le site www.chopra.com, contactez-nous par e-mail (yoga@chopra.com) ou téléphonez-nous au (888) 424-6772.

Index

Table des matières

COLLECTION

AVENTURE SECRÈTE

La spiritualité, l'ésotérisme et la parapsychologie offrent des perspectives fascinantes au monde moderne. Les sciences d'aujourd'hui rejoignent les traditions d'hier: l'invisible et les pouvoirs de l'esprit sont une réalité.

« Aventure Secrète » vous invite à porter un regard neuf sur vous et sur l'univers en répondant aux plus grandes questions de tous les temps.

ENIGMES

Michael Baigent, Richard Leigh, Henry Lincoln • L'énigme sacrée
Michael Baigent, Richard Leigh, Henry Lincoln • Le message
Edouard Brasey • L'énigme de l'Atlantide
Graham Hancock • Le mystère de l'arche perdue
Pierre Jovanovic • Enquête sur l'existence des anges gardiens
Chris Morton • Le mystère des crânes de cristal
Joseph Chilton Pearce • Le futur commence aujourd'hui
Lynn Picknett & Clive Prince • La révélation des templiers

EPANOUISSEMENT PERSONNEL

Melody Beattie • Les leçons de l'amour
Deepak Chopra • Les sept lois spirituelles du succès
Deepak Chopra • Les clés spirituelles de la richesse
Deepak Chopra • Les sept lois pour guider vos enfants sur la voie du succès
Deepak Chopra • Le chemin vers l'amour
Marie Coupal • Le guide du rêve et de ses symboles
Wayne W. Dyer • Les dix secrets du succès et de la paix intérieure
Joseph Murphy • Comment utiliser les pouvoirs du subconscient
Joseph Murphy • Comment réussir votre vie
Marianne Williamson • Un retour à l'Amour

PARANORMAL/DIVINATION/PROPHETIES

Édouard Brasey • Enquête sur l'existence des fées et des esprits de la nature
Jean-Charles de Fontbrune • Nostradamus, biographie et prophéties jusqu'en 2025
Dorothée Koechlin de Bizemont • Les prophéties d'Edgar Cayce
Maud Kristen • Fille des étoiles
Rupert Sheldrake • Les pouvoirs inexpliqués des animaux
Sylvie Simon • Le guide des tarots

POUVOIRS DE L'ESPRIT/VISUALISATION

Marilyn Ferguson • La révolution du cerveau
Shakti Gawain • Techniques de visualisation créatrice
Shakti Gawain • Vivez dans la lumière
Jon Kabat-Zinn • Où tu vas, tu es
Akain Kardec • Le livre des esprits
Dolores Krieger • Le guide du magnétisme
Bernard Martino • Les chants de l'invisible
Éric Pier Sperandio • Le guide de la magie blanche

LOBSANG T. RAMPA

Le troisième œil
Les secrets de l'aura
La caverne des Anciens
L'ermite

JAMES REDFIELD

La prophétie des Andes
Les leçons de vie de la prophétie des Andes
La dixième prophétie
L'expérience de la dixième prophétie
La vision des Andes
Le secret de Shambhala
(Avec Michael Murphy et Sylvia Timbers) Et les hommes deviendront des dieux

ROMANS ET RECITS INITIATIQUES

Deepak Chopra • Dieux de lumière
Laurence Ink • Il suffit d'y croire...
Gopi Krishna • Kundalinî – autobiographie d'un éveil
Shirley MacLaine • Danser dans la lumière
Shirley MacLaine • Le voyage intérieur
Shirley MacLaine • Mon chemin de Compostelle
Dan Millman • Le guerrier pacifique
Marlo Morgan • Message des hommes vrais
Marlo Morgan • Message en provenance de l'éternité
Michael Murphy • Golf dans le royaume
Scott Peck • Les gens du mensonge
Scott Peck • Au ciel comme sur terre
Baird T. Spalding • La vie des Maîtres

SANTE/ENERGIES/MEDECINES PARALLÈLES

Janine Fontaine • Médecin des trois corps
Janine Fontaine • Médecin des trois corps. Vingt ans après
Caryle Hishberg & Marc Ian Barasch • Guérisons remarquables
Caroline Myss • Anatomie de l'esprit
Pierre Lunel • Les guérisons miraculeuses
Dr Bernie S. Siegel • L'amour, la médecine et les miracles

SPIRITUALITES

Bernard Baudouin • Le guide des voyages spirituels
Jacques Brosse • Le Bouddha
Deepak Chopra • Comment connaître Dieu
Deepak Chopra • La voie du magicien
Deepak Chopra • Les sept lois spirituelles du yoga
Sa Sainteté le Dalaï-Lama • L'harmonie intérieure
Sam Keen • Retrouvez le sens du sacré
Thomas Moore • Le soin de l'âme
Scott Peck • Le chemin le moins fréquenté
Scott Peck • La quête des pierres
Scott Peck • Au-delà du chemin le moins fréquenté
Ringou Tulkou Rimpotché • Et si vous m'expliquiez le bouddhisme ?
Robin S. Sharma • Le moine qui vendit sa Ferrari
Baird T. Spalding • Treize leçons sur la vie des Maîtres
Neale D. Walsch • Conversations avec Dieu
Neale D. Walsch • Présence de Dieu

VIE APRÈS LA MORT/REINCARNATION/INVISIBLE

Vicki Mackenzie • Enfants de la réincarnation
Daniel Meurois & Anne Givaudan • Récits d'un voyageur de l'astral
Raymond Moody • La vie après la vie
Raymond Moody • Lumières nouvelles sur la vie après la vie
Jean Prieur • Le mystère des retours éternels
James Van Praagh • Dialogues avec l'au-delà
Brian L. Weiss • Nos vies antérieures, une thérapie pour demain
Brian L. Weiss • Il n'y a que l'amour

À DÉCOUVRIR DANS LA MÊME COLLECTION

ET LES HOMMES DEVIENDRONT DES DIEUX

James Redfield

Un nombre grandissant de personnes, partout dans le monde, vivent des expériences étranges : intuitions, coïncidences, visions, sentiment d'union avec la nature et l'univers, télépathie, et bien d'autres encore.

Pour James Redfield et Michael Murphy, le monde est à la veille de grands changements et ces expériences correspondent à l'éveil progressif de l'humanité. Aujourd'hui plus que jamais, l'être humain possède les clés pour répondre aux grandes questions : qui sommes-nous ? Où allons-nous ? Quel est le but de la vie ?

En développant nos capacités psychiques, mentales et spirituelles, nous pouvons améliorer notre vie personnelle et contribuer de façon créative à l'évolution humaine. Grâce aux exercices proposés, vous parviendrez à interpréter les signes qui vous entourent, à affiner vos intuitions et à vous ouvrir aux énergies supérieures. Aidez l'humanité à franchir une nouvelle étape de son histoire !

JAMES REDFIELD

Dès la publication de *La prophétie des Andes* (Éditions J'ai lu), James Redfield est devenu un auteur phénomène avec près de 10 millions de livres vendus dans plus de 35 pays. Il travaille actuellement au développement du film basé sur son premier roman et continue de transmettre ses idées à travers des livres comme *La dixième prophétie* et *Le secret de Shambhala*, publiés également chez J'ai lu.

À DÉCOUVRIR DANS LA MÊME COLLECTION

AU-DELA DU CHEMIN LE MOINS FREQUENTE

Scott Peck

Vingt ans après avoir écrit *Le chemin le moins fréquenté*, Scott Peck, célèbre psychiatre, nous apporte de nouvelles clés pour apprendre à vivre. Reflet de ses évolutions et de ses découvertes tant psychologiques que spirituelles, *Au-delà du chemin le moins fréquenté* est le livre de la maturité.

Scott Peck nous invite à réviser notre fonctionnement intérieur : clichés, jugements et visions réductrices. Il propose une voie basée sur la maîtrise de soi et sur la lucidité, et développe des thèmes passionnants : le narcissisme, la honte, les dettes affectives, la soumission, la discipline, le pouvoir de choix, les contradictions intérieures, la grâce, et bien d'autres.

Une exploration subtile et intelligente pour amorcer des changements positifs et profonds dans sa vie.

SCOTT PECK

Psychiatre, Scott Peck s'appuie sur une solide expérience professionnelle et personnelle pour transmettre des valeurs et des idées essentielles sur l'éducation, la psychothérapie et la maturité. *Le chemin le moins fréquenté*, best-seller mondial, a marqué plusieurs générations. *Au-delà du chemin le moins fréquenté* est le prolongement et la conclusion de son œuvre.

À DÉCOUVRIR DANS LA MÊME COLLECTION

LE GUIDE DU REVE ET DE SES SYMBOLES

Marie Coupal

De A à Z, tous les sens de vos rêves

Les rêves sont souvent étranges, fous, magiques, euphorisants ou angoissants. Les symboles sont omniprésents.

Si nous rêvons, il y a une bonne raison à cela. Le sommeil et les rêves sont essentiels à notre équilibre mental et physique. En rêve, nous nous libérons des contraintes et des interdits, nous exprimons nos peurs les plus anciennes et nos préoccupations présentes. Notre inconscient nous adresse aussi des mises en garde, des conseils, et nous offre un aperçu de notre futur.

Écrit sous forme de dictionnaire, ce guide complet permet aux profanes autant qu'aux initiés de décoder toute la profondeur et la sagesse des rêves grâce à une analyse psychologique, mythologique et prémonitoire.

L'analyse concrète des symboles vous aidera à mieux gérer vos conflits intérieurs et à maîtriser votre destin.

MARIE COUPAL

Marie Coupal est l'une des grandes spécialistes des rêves. Dans ses interprétations, elle intègre les notions propres à la psychanalyse freudienne et jungienne, à la mythologie et à la divination.

À DÉCOUVRIR DANS LA MÊME COLLECTION

LE GUIDE DES TAROTS

Sylvie Simon

L'avenir dévoilé par les cartes et leurs symboles

Le tarot est un outil de divination ancien, puissant et d'une richesse exceptionnelle. Toutes les expériences qu'un être humain peut vivre sont contenues dans ses symboles.

Sur un plan divinatoire, le tarot vous décrira le passé et le présent d'une situation ou d'une personne et vous présentera toutes les possibilités qu'offre le futur.
Sur un plan spirituel, le tarot vous donnera une vision subtile de la vie, avec ses nuances, ses couleurs, ses joies et ses épreuves. À la lumière du tarot, vous découvrirez comment votre vie s'inscrit dans le cadre de l'évolution humaine. Vous saurez qu'en plus d'avoir du sens, votre vie a aussi un but.

Grâce à ce guide, vous connaîtrez le symbolisme de chaque arcane (carte), ses liens avec la tradition, ses correspondances astrologiques et ses différents sens pratiques : santé, travail et relations affectives. Près d'une vingtaine de méthodes de tirage, accompagnées d'exemples précis, vous permettront de répondre à toutes les questions que vous vous posez comme le font les meilleurs voyants.

SYLVIE SIMON

Auteur de romans et de documents, passionnée d'histoire, Sylvie Simon est une des meilleures spécialistes de la divination. Elle a étudié auprès des plus grands médiums et est elle-même douée de capacités extrasensorielles.

À DÉCOUVRIR DANS LA MÊME COLLECTION

L'HARMONIE INTERIEURE

Sa Sainteté le dalaï-lama

La voie psycho-spirituelle du mieux-être : les enseignements du Maître de la sagesse

Le dalaï-lama, et à travers lui les grands maîtres du Tibet, livre un antidote puissant contre les maux qui accablent le monde moderne : colère, jalousie, angoisse, stress, peur… Le bouddhisme tibétain n'est pas une pure spéculation mais bien un enseignement pratique pour combattre les émotions négatives.

Pas à pas, le dalaï-lama vous apprendra à maîtriser votre esprit pour accéder à un état de sérénité parfaite. Grâce à des techniques comme la prière, la visualisation, la méditation, et à des instructions précises, il vous ouvrira la voie du véritable équilibre intérieur.

Un guide simple et essentiel pour sortir des tracas du quotidien et vivre en harmonie avec soi et les autres.

SA SAINTETE LE DALAI-LAMA

Tenzin Gyatso, le quatorzième dalaï-lama, s'est imposé sur la scène du monde comme maître de sagesse et homme de paix. En exil depuis 1959 en raison de la répression chinoise, il demeure le chef incontesté du peuple tibétain. Sa fidélité sans faille à la politique de non-violence lui a valu le prix Nobel de la paix en 1989.

À DÉCOUVRIR DANS LA MÊME COLLECTION

LE GUIDE DE LA MAGIE BLANCHE

Éric Pier Sperandio

Rituels, invocations et recettes de sorcières

La magie blanche est l'art d'attirer à soi les influences positives et de modifier favorablement n'importe quelle situation : amoureuse, professionnelle ou financière. Il ne s'agit ni de superstition ni d'illusionnisme. La magie blanche est un savoir ancestral qui se base sur les lois d'un univers invisible ignorées d'une majorité de gens.

Des énergies naturelles existent dans l'air, la terre, l'eau, le feu, les plantes, les pierres. En libérant et en canalisant ces énergies, il est possible de créer l'harmonie dans sa vie et celle des autres. Une pratique que les sorcières et les mages ont mis des siècles à élaborer et à perfectionner.

À l'aide de ce guide, vous serez initié pas à pas à la magie, depuis la création de votre autel et du cercle magique à l'utilisation des herbes et des chandelles. Vous pourrez alors réaliser des invocations aux anges et aux déités, des bains rituels et des recettes secrètes pour attirer amour, argent et succès, et résoudre les problèmes qui vous préoccupent. Un guide pratique et indispensable pour développer la puissance de sa pensée et se mettre au diapason des énergies supérieures.

ERIC PIER SPERANDIO

Diplômé ès lettres et journaliste de profession, Éric Pier Sperandio est l'auteur de nombreux articles et ouvrages sur l'ésotérisme et l'occultisme. Ses ouvrages sur la magie rencontrent un grand succès.

À DÉCOUVRIR DANS LA MÊME COLLECTION

PRESENCE DE DIEU

Neale Donald Walsch

Une sagesse extraordinaire nous entoure et nous guide

Suite à l'immense succès de *Conversations avec Dieu,* Neale Donald Walsch a donné un séminaire qui synthétise les idées essentielles de ses livres et donne une portée pratique à ses enseignements. *Présence de Dieu* en est la retranscription.

Le Dieu dont parle Neale Donald Walsch est un Dieu à la sagesse infinie. Il est ce Dieu dont nous rêvons tous : aimant, compréhensif, sensé, plein d'humour. Dieu souhaite que nous soyons heureux et que nous ne culpabilisions pas pour rien. Il est très loin d'un Dieu moralisateur. Néanmoins, il nous exhorte à ne pas laisser le temps filer et à prendre notre vie en main… avec son aide.

Présence de Dieu vous indiquera comment appliquer au quotidien les principes spirituels pour avoir une vie abondante, développer des relations amoureuses et amicales harmonieuses, être en meilleure forme, etc. Un livre fascinant et inspirant pour réussir pleinement sa vie sans culpabilité.

NEALE DONALD WALSCH

Auteur de *Conversations avec Dieu,* le premier tome d'une série de trois livres au retentissement mondial, Neale Donald Walsch témoigne de l'existence de Dieu à travers ses écrits et ses séminaires. Il est le président d'une fondation à but non lucratif dont le but est d'aider les gens à développer leur spiritualité.

À DÉCOUVRIR DANS LA MÊME COLLECTION

UN RETOUR A L'AMOUR

Marianne Williamson

Manuel de psychothérapie spirituelle : désapprendre la peur, lâcher prise, aimer, pardonner

Un retour à l'amour détaille les principes fondamentaux qui modifient la vie en profondeur : le lâcher prise, le pardon, le sacré, la foi et l'amour comme réponses à la peur.

Pour Marianne Williamson, nos peurs nous poussent à ériger des défenses comme l'agressivité, la concurrence, l'égoïsme ou la déprime. Derrière chaque défense se cache pourtant une terrible demande d'amour.

C'est à cette demande que Marianne nous invite à répondre, qu'il s'agisse de nos relations, de notre travail ou de notre santé. Pas à pas, elle nous apprend à redécouvrir notre pureté d'origine, où la peur et le jugement n'existent pas. Là, le miracle de la transformation devient possible.

Ce livre est bien plus qu'un manuel de psychothérapie spirituelle. Marianne Williamson dévoile son parcours de femme blessée, d'être humain perdu et apeuré qui retrouve enfin la voie du véritable épanouissement et du charisme intérieur.

MARIANNE WILLIAMSON

Conférencière internationale, elle est à la tête de nombreuses associations d'aide aux malades et déshérités, et préside l'Alliance pour une Renaissance Globale, une association à but non lucratif qui vise à insuffler plus de spiritualité dans la politique. *Un retour à l'amour* est un best-seller qui fait date dans l'histoire de la thérapie et de la spiritualité.

À DÉCOUVRIR DANS LA MÊME COLLECTION

LE LIVRE DES ESPRITS
Allan Kardec

Tables tournantes, oui-ja, alphabet spirite, écriture automatique, médiumnité... tous ces moyens nous permettent-ils vraiment de communiquer avec des esprits ?

Allan Kardec s'est posé cette question en allant à la rencontre de très grands médiums. D'abord sceptique, il est très vite convaincu de la réalité de l'au-delà.

Ses observations minutieuses et ses nombreuses expériences lui ont prouvé que non seulement les esprits provoquent des phénomènes physiques parfois prodigieux mais qu'ils possèdent aussi une connaissance philosophique et spirituelle inestimable.

Le livre des esprits contient les réponses des esprits à plus de mille questions sur Dieu, l'univers, les anges, la réincarnation, les rêves, la télépathie, la prière, les guerres, les inégalités, la liberté, la justice, le suicide, l'égoïsme, l'amour, etc.

Un livre fondamental pour les personnes en quête de spiritualité.

ALLAN KARDEC

Educateur et philosophe, Allan Kardec (1804-1869), de son vrai non Hyppolyte Léon Denizard Rivail, est le père du spiritisme, une philosophie spiritualiste enseignée dans le monde entier. *Le livre des esprits* est un des livres les plus lus après la Bible.

À DÉCOUVRIR DANS LA MÊME COLLECTION

LE GUIDE DU MAGNETISME

Dolores Krieger

Depuis des millénaires, guérisseurs et magnétiseurs utilisent l'énergie des mains pour soigner. Ce pouvoir n'est pas l'apanage de privilégiés. Nous possédons tous cette capacité de guérison et nous pouvons la développer.

Aujourd'hui, de nombreuses études prouvent que le magnétisme est efficace pour diminuer la douleur et l'anxiété, stimuler le système immunitaire, calmer les maux de tête, gérer le stress, accélérer la cicatrisation et de façon générale réveiller notre potentiel de guérison.

Grâce à une technique de magnétisme extraordinaire, *le toucher thérapeutique,* vous pourrez évaluer vos auras ou celles d'un partenaire, éliminer les mauvaises ondes et canaliser les énergies positives pour soulager différents maux, qu'ils soient physiques ou psychiques.

Cette méthode facile à réaliser, pour soi et pour les autres, favorisera votre bien-être physique, émotionnel et spirituel.

DOLORES KRIEGER

Infirmière et professeur à l'Université de New York, Dolores Krieger a développé au début des années 1970 une technique énergétique de soin, *le toucher thérapeutique,* aujourd'hui utilisée dans des centaines d'hôpitaux et d'universités aux États-Unis et dans le reste du monde. La preuve de son efficacité a été faite scientifiquement de nombreuses fois.

À DÉCOUVRIR DANS LA MÊME COLLECTION

OU TU VAS, TU ES

Jon Kabat-Zinn

Des recherches scientifiques récentes ont démontré que la pratique de la méditation et de la pleine conscience avait des effets remarquables sur le corps et l'esprit.

Au cours de la méditation, l'attention se porte sur le moment présent. Dans cet état, il n'y a pas de jugement, pas de passé, pas de futur, pas de pensées incessantes. Votre conscience est simplement là, dans le silence et le calme absolu.

Où tu vas, tu es s'adresse à toutes les personnes qui souhaitent commencer ou approfondir une pratique de la méditation pour se libérer du stress et trouver le chemin de la guérison.

En apprenant à vivre dans le présent et en éveillant votre conscience, vous aurez accès à des ressources de joie, de créativité, de santé et d'intelligence dont vous ne soupçonniez même pas l'existence.

JON KABAT-ZINN

Jon Kabat-Zinn est le fondateur d'une clinique de réduction du stress en association avec l'université du Massachusetts (États-Unis). Les succès obtenus à l'aide des techniques bouddhiques de méditation pour soigner les troubles physiques ou psychologiques et générer des changements positifs dans la vie l'ont amené à les enseigner au plus grand nombre.

À DÉCOUVRIR DANS LA MÊME COLLECTION

DIALOGUES AVEC L'AU-DELA
James van Praagh

Les preuves d'une vie après la mort

« — *Un esprit me montre la cabine de pilotage d'un avion. Les cadrans et les indicateurs du tableau de bord ne fonctionnent plus. J'aperçois de la fumée et des flammes, puis c'est le noir total. Est-ce que cela vous dit quelque chose ?*
Marilyn prit un papier mouchoir pour éponger ses yeux et elle se mit à trembler.
— Roger, mon mari, est mort dans le crash d'un avion, il y a un an. Son avion est tombé la nuit. »

James Van Praagh jouit d'une faculté hors du commun: il parvient à communiquer avec les morts. Au cours de ses consultations, il reçoit des hommes et des femmes qui ont perdu un être cher: un enfant, une épouse, un mari, un ami, un animal de compagnie.
Avec beaucoup d'humilité, il transmet les communications qu'il reçoit par médiumnité. Les messages sont saisissants, autant par les détails qu'ils contiennent que par le réconfort qu'ils apportent.
À la fois journal spirituel et manuel d'initiation, *Dialogues avec l'au-delà* apporte les preuves indubitables d'une existence après la mort.

JAMES VAN PRAAGH
James van Praagh est sans doute l'un des médiums les plus doués au monde. La chaîne de télévision américaine NBC a réalisé un téléfilm sur sa vie, basé sur son livre *Dialogues avec l'au-delà*. Il anime des séminaires sur les questions spirituelles et l'après-vie.

À DÉCOUVRIR DANS LA MÊME COLLECTION

ANATOMIE DE L'ESPRIT
Caroline Myss

Le sens psychologique et énergétique des maladies

Basé sur une recherche de plus de vingt ans en médecine énergétique, le travail exceptionnel de Caroline Myss montre qu'à chaque maladie correspond un stress psychologique et émotionnel bien précis.

Troubles cardiovasculaires, douleurs lombaires, maladies du sang, cancers, allergies, maux de gorge, migraines… rien dans notre corps n'est le fruit du hasard. Toute l'histoire de notre vie y est inscrite : nos symptômes parlent de nos blessures, de nos échecs et de nos peurs.

Avec *Anatomie de l'esprit,* vous découvrirez très précisément les traumatismes et les attitudes qui ont déséquilibré votre système énergétique et vos cellules, et reprendrez le contrôle de votre vie en entretenant des rapports plus sains avec la famille, l'argent, les relations, le travail… et vous-même.

CAROLINE MYSS

Caroline Myss est une intuitive médicale reconnue internationalement. Elle a réalisé une synthèse des plus grandes traditions spirituelles, hindoues, juives, bouddhistes et chrétiennes, pour aider les gens à mieux prendre en charge leur santé.

À DÉCOUVRIR DANS LA MÊME COLLECTION

LES DIX SECRETS DU SUCCES ET DE LA PAIX INTERIEURE

Dr Wayne W. Dyer

Écouter son âme, ouvrir son cœur

« Pas un jour ne se passe sans que je pense à Dieu. Non seulement j'y pense, mais en plus je ressens Sa présence durant la plupart des moments où je suis éveillé. C'est un sentiment de contentement et de satisfaction qui dépasse tout ce que je pourrais exprimer dans un livre. Je suis arrivé à connaître la paix de l'Esprit dans ma vie et, grâce à cette connaissance, mes préoccupations, mes problèmes, mes réalisations et mes accumulations perdent de leur importance. Dans ce court ouvrage, j'explique les dix secrets du succès et de la paix intérieure qui, si vous les maîtrisez et les mettez quotidiennement en application, vous guideront aussi vers le même sentiment de sérénité. »

En compagnie du Dr Wayne Dyer, vous apprendrez des leçons essentielles sur le détachement, le silence et l'estime de soi. En développant votre perception spirituelle, un autre monde s'ouvrira à nous. Vous ne serez plus la proie de vos colères ou de vos culpabilités. En vous mettant à l'écoute de votre être intérieur, vous aurez le pouvoir de devenir la personne que vous avez toujours rêvé d'être. Chaque jour, l'inspiration vous accompagnera pour une vie lumineuse et heureuse.

DR WAYNE W. DYER

Docteur en psychologie et psychotérapeute, le Dr Wayne W. Dyer est l'auteur de *Vos zones erronées* et de nombreux autres best-sellers. Écrivain et conférencier de renommée internationale, il enseigne des principes psychologiques et spirituels fondamentaux pour transformer sa vie.